Doris González Torres, Ph. D.

Hablemos
de niños

Recetario para madres y padres

LUMEN
Grupo Editorial LUMEN
Buenos Aires - México

Diagramación: Juan Santiago Ramírez
Ilustraciones: Arturo Yépez

González Torres, Doris
    Hablemos de niños : recetario para madres y padres - 1.ª ed. -
Buenos Aires : Lumen, 2008.
    144 p. : il. ; 22x15 cm.

    ISBN 978-987-00-0773-9

    1. Crianza de Niños. I. Título
    CDD 649.1

Primera edición: por Doris González Torres (Ph. D.), 2001.

© Editorial y Distribuidora Lumen SRL, 2008.

Grupo Editorial Lumen
Viamonte 1674, (C1055ABF) Buenos Aires, República Argentina
Tel.: 4373-1414 (líneas rotativas) • Fax: (54-11) 4375-0453
E-mail: editorial@lumen.com.ar
http://www.lumen.com.ar

Rafael,
sé que desde el firmamento aún guías mis pasos,
y yo sigo tus ejemplos. Te quiere
tu adorada hija,
Doris.

Dedicatoria

A mis excompañeros del Proyecto Amanecer, donde quiera que se encuentren, por su dedicación y compromiso con la niñez. Los logros que ustedes alcanzaron nadie los ha podido igualar.

Al equipo de Telenoticias de Telemundo, de Puerto Rico, que hizo posible que por una década yo llegara todas las semanas a cada hogar para compartir la información que aquí presento.

A mi familia. A mi madre, Rosa, que siempre ha creído en mí. A Luis, mi esposo y compañero de ruta, por su apoyo incondicional. A Deborah y Stephanie, mis adoradas hijas, que han sido instrumento y regalo de Dios, y han contribuido grandemente en mi rol de madre. A ellas, mi amor y mi bendición siempre.

A ustedes, mis lectores, les dedico este libro, porque han sido la motivación para escribirlo.

Palabras preliminares

Agradezco la acogida que tuvo la primera edición de este libro. Por tal motivo, me aventuré a revisarla y a presentar esta segunda edición. Este libro que tienen en sus manos incluye un nuevo capítulo, dirigido a fortalecer a los padres y las madres como individuos, para que puedan asumir la crianza de sus hijos.

Este capítulo enfatiza el análisis de las estrategias de crianza y las necesidades y circunstancias del que cría. ¿Cómo somos? ¿Qué facilita o impide los roles que asumimos día a día? ¿Cómo se puede ser más efectivo? ¿Cómo manejo los problemas diarios que afectan mi función parental? ¿Cómo me enfrento al estrés para evitar maltratar a mis hijos? ¿Soy un buen padre o madre? ¿Actúo bien o mal?

Sé que se enfrentan a estas interrogantes diariamente. Son cuestionamientos genuinos de un padre o una madre que asume con responsabilidad la crianza de sus hijos. Así, *Hablemos de niños* añade un capítulo para hablarles a los padres que, día a día, se enfrentan con retos que deben saber manejar para ser más efectivos.

Hoy día, la crianza de los hijos se dificulta más porque los matrimonios (y las parejas) se unen y se separan con mayor rapidez. La decisión de separarse no depende del estado civil de sus miembros, como la armonía conyugal no consiste en la ausencia de problemas. Los problemas son inevitables entre los seres humanos; lo importante es la capacidad de resolverlos de modo razonable.

Una pareja, después de divorciarse o separarse, puede funcionar en armonía si logra manejar los conflictos que surgieron en el proceso de disolución de sus vínculos. Padres que interactuaban bien durante su matrimonio pueden dejar de hacerlo por las emociones incontrolables que surjan al finalizar su relación conyugal.

No tengo duda de que existe una acción recíproca entre la relación parental y la conyugal. Si ambos padres son responsables, lo más probable es que la crianza de los hijos los una en el compromiso de ser padres.

Al leer este nuevo capítulo, los invito a que revisen sus circunstancias de vida.

Introducción

Escribo este libro en primera persona porque a través de su lectura espero convertirme en una buena amiga. Los temas presentados responden a las inquietudes que muchos de ustedes me plantean sobre la crianza de sus hijos.

Les presento mis sugerencias en forma de recetario, para que su lectura sea más amena.

Los padres y las madres de hoy también fueron niños y niñas ayer. En ese pasado, se encuentran las alegrías y las penas de la infancia que muchas veces afectan la vida adulta. Algunos imitan la crianza de sus propios padres, mientras otros rechazan por completo ese estilo de crianza.

Muchos quieren ser padres perfectos, capaces de satisfacer y atender todas las necesidades de los hijos. Éstos llegan a pensar que sólo los malos padres tienen hijos con problemas. Éste es un punto de vista injusto. No existe padre perfecto; el pensar esto podría ser motivo de desilusión.

Cumplir con las múltiples responsabilidades de ser padre y madre es cada día más difícil. Nuestros hijos no son influenciados únicamente por los estilos que asumimos, sino por los que asumen los padres de sus amigos, la escuela, la televisión, los vecinos y todas las personas significativas que tienen a su alrededor.

Ni ustedes ni yo podemos concluir que la conducta que exhiben nuestros hijos está sólo influenciada por nuestro estilo de crianza. Sin embargo, seguimos siendo las personas más significativas en la vida de ellos. Al nacer, dependen exclusivamente de nuestro cuidado para satisfacer sus necesidades básicas. Los infantes ven el mundo que los padres les permitimos ver. De nosotros, los padres, los niños y las niñas aprenden lo que les gusta y les disgusta, lo que es bueno y lo que es malo; y, sobre todo, la definición que tienen de sí mismos y de los demás.

Los niños, en la etapa de la infancia, antes de los seis años, responden a lo que desean, y no a lo que les conviene. Su pensamiento no está desarrollado, por lo cual no reconocen las consecuencias de sus actos. No lloran para molestar, sino porque sienten incomodidad y, al no poder expresarlo de manera verbal, actúan. Muchos padres no entienden esta conducta y se desesperan. La paciencia es la virtud que los buenos padres desarrollan para manejar al infante.

En la etapa intermedia del desarrollo, los niños se inician en el mundo escolar. Las experiencias sociales van a ser tan significativas para ellos como las experiencias familiares. Se amplían los modelos que imitan y comienzan a compararnos con los padres y las madres de los amigos. Llegarán a tener su propias ideas sobre las cosas, aunque nuestra opinión sigue siendo importante.

En esta etapa de su vida, los niños desarrollan la capacidad para adaptarse a su mundo social y serán menos dependientes. Si les hemos enseñado cómo deben comportarse, actuarán responsablemente. Si, por el contrario, no les hemos enseñado valores, podrían confrontar problemas.

La tarea principal del niño en esta etapa es estudiar. Nosotros, como padres, tenemos la obligación de servir de apoyo y estímulo. Es necesario creer en nuestros hijos; si no, ellos no creerán en sí mismos. La seguridad que han desarrollado se mantiene si se sienten amados y apoyados por nosotros. Las destrezas que desarrollan en la escuela y en el ambiente social los ayudan a valorarse y a no permitir que los demás abusen de ellos.

El período de vida que transcurre de los siete a los doce años es quizás el más importante en la formación del adulto que tu hijo será algún día. Dedicaré gran parte de este libro al manejo de los problemas que surgen en éste.

La última etapa hacia la formación del adulto se conoce como adolescencia. En ésta, los amigos se convierten en el centro de su atención, en los que encuentran identificación, seguridad, confianza y lealtad. En tanto, los padres pasamos a ser más observadores que partícipes. Pero, como todavía nuestros hijos no han adquirido la madurez que creen tener, tenemos que estar alertas a lo que hacen y dejan de hacer.

No importa en qué etapa de desarrollo se encuentran nuestros hijos, su vida y su seguridad dependen de nosotros, sus padres. Pero algunos no pueden, no saben o no quieren asumir la responsabilidad. Este libro va dirigido, entonces, a los que no saben cómo asumirla y a los que desean adquirir mayores destrezas para enfrentarse a la difícil tarea de ser buenos padres y madres.

Capítulo 1

Retos que enfrentas día a día

Vivimos con prisa. Vivimos en una desesperada carrera por la subsistencia, tratando de cumplir con muchas responsabilidades a la vez. Asumimos muchos roles y les dedicamos más tiempo a unos que a otros. Asumimos que hacemos bien el rol de padres y madres porque lo vemos como una función natural.

Por eso, a veces lo hacemos con menor dedicación. Utilizamos la televisión, la calle y los vecinos para sustituirnos, y no nos preocupa nuestro distanciamiento físico y emocional hasta que surgen problemas en la conducta de nuestros hijos.

Vivimos con estrés. El estrés es producto del estilo de vida de hoy. Surge ante las diferentes demandas y exigencias a las que nos enfrentamos y debido a nuestra incapacidad de responder adecuadamente a todas. Cuando pensamos que no podemos enfrentar un problema desgraciado, nuestra reacción ante el estrés es más difícil e imposible de manejar.

Dentro de los límites normales, el estrés nos ayuda a adaptarnos y a enfrentar los tensores del diario vivir. Sin embargo, si los estresores son demasiado numerosos o fuertes, la reacción al estrés perjudica más de lo que ayuda.

Las preocupaciones de vida llegan a ser agotadoras, y sumadas pueden provocar trastornos graves y duraderos. Cuando los trastornos se suman, las fortalezas merman. A pesar de que las catástrofes naturales generan reacciones emocionales agudas, son los problemas familiares los que posibilitan el que sobrevenga un estado patológico.

Cuando se da un desastre natural, surge un sentido de solidaridad y ayuda mutua que hace que sintamos apoyo. Ante los problemas familiares, sobre todo los que representan los hijos, se nos dificulta buscar ayuda. Cuando los hijos se meten en problemas, la vergüenza que eso produce te lleva a ocultar y minimizar los hechos. Es por eso que te encuentras sin una red de apoyo para solucionarlos.

De esta manera, hemos ampliado el concepto de separatividad. Llegamos a pensar que lo que me ocurre a mí no es problema de los otros, y lo que les ocurre a los otros no es problema mío. Si hacemos un poco de memoria y nos acordamos de nuestra infancia, encontramos recuerdos de una sociedad responsable en la que las personas respondían en beneficio de los niños aunque no fueran los propios.

Hoy, poco importa lo que le ocurre al vecino. Hay que dar una mirada al pasado con la posibilidad de rescatar aquello que una vez nos unió y favoreció la protección de los niños.

En la última década, hemos experimentado un aumento en el descontrol emocional entre los miembros de la familia. Nuestros hijos se crían en un mundo agresivo. Cada uno de nosotros es responsable de buscar alternativas para que nuestros hijos puedan desarrollar su control emocional, el dominio de sí mismos; esto es pensar antes de actuar y desarrollar la toma de conciencia respecto del efecto de sus acciones en los demás.

La crianza debe lograr en los hijos actitudes tales como el desarrollo de la conciencia, el autodominio y el sentido colaborativo. ¿Tienes tú esas destrezas? Si tú no las posees, no se las puedes transmitir a tus hijos.

Al leer estas líneas, cuestiónate si has perdido o nunca has tenido la capacidad para tolerar. Ser tolerante no implica permitir que tus hijos hagan todo lo que deseen. Significa asumir una actitud de diálogo y respeto cuando discrepan. Evita generar situaciones de conflicto: el poder como padre y madre es tuyo. No tienes que imponerte; sé prudente, pues de esta forma tus hijos te respetarán. De lo contrario, la emoción que prevalecerá en tus hijos hacia ti será el miedo. Cuando los hijos temen la reacción de sus padres, se ocultan y actúan de modo contrario a lo que se espera de ellos.

Los padres siempre tenemos opciones cuando debemos reaccionar ante la conducta de nuestros hijos. Los padres que actúan a merced de sus impulsos carecen de autodominio. Hay que aprender a escuchar y no llegar a conclusiones sin tener la información necesaria.

Reconozco que los hijos provocan emociones amplias y profundas. La alegría, el miedo, el coraje y la preocupación son sentimientos que usualmente están presentes en la crianza de los hijos.

Nos preocupa y tememos lo que les pueda ocurrir cuando no estamos con ellos, y por eso a veces los sobreprotegemos. Nos da ira cuando de modo repetitivo el niño decide no hacer lo que se le pide. La conducta del niño la vemos como un reto a nuestra autoridad; sin embargo, muchos niños actúan guiados por la curiosidad y por la influencia de los amigos.

Por lo general, cuando un niño se comporta mal, se le reprende, se le castiga y se le rechaza. El niño llega a pensar que él es malo, en vez de que actuó mal, y se comporta guiado por ese concepto que se ha creado de sí mismo. El niño que se define a sí mismo en forma positiva rara vez es un niño problemático.

Muchos padres expresan que desean que sus hijos sean felices, pero son excesivamente punitivos en el proceso de disciplinarlos y creen que así conducen a sus hijos a la felicidad. Estos padres sólo logran hijos amargados, rencorosos y tristes.

Usualmente, cuando un niño se comporta mal, es que está buscando atención y afecto. Sin embargo, esa conducta genera rechazo en el adulto. Esto puede ocurrir en hogares en los que los padres tienen expectativas demasiado altas, sumadas a que se les dificulta aceptar que a veces los hijos no se comportan como deseamos.

Aún más: algunos padres satisfacen necesidades propias a través de sus hijos. Buscan alcanzar anhelos no cumplidos en su infancia, tales como logros académicos, deportivos o artísticos.

Los niños que no logran destacarse académicamente proceden a menudo de hogares en los que existe presión hacia el logro de mejores calificaciones. Estos padres y madres tienden a decepcionarse pues no toman en consideración las limitaciones que pueden tener sus hijos. No reconocen las destrezas que pueden tener o no tener, ni las habilidades que poseen en la etapa de desarrollo en que se encuentran.

Tu actitud produce en el niño duda de si es capaz o no de lograr sus metas académicas. No son siempre los estudiantes sobresalientes los que logran alcanzar éxito en la vida. Usualmente estos padres, cuando eran estudiantes, estuvieron acostumbrados a recibir honores, y se sienten traicionados cuando sus hijos no logran sobresalir. Perciben a sus hijos como extensiones de ellos mismos.

Analízate tú mismo y explora si las exigencias que tienes hacia tus hijos van encaminadas a llenar insatisfacciones propias no resueltas. Mientras más satisfecho te sientes como persona, es menos probable que utilices a tus hijos para enriquecer tu autoestima. Tus hijos no pueden ser la fuente principal de tu satisfacción personal.

La satisfacción del adulto radica primero en sí mismo y luego en los logros familiares. De lo contrario, tus hijos nunca se independizarán, y cuando sean adultos, continuarás influenciando sus decisiones. Este tipo de padre y madre mantiene una relación de adulto-niño aun cuando sus hijos ya son mayores de edad.

Muchos padres se olvidan de que son personas con necesidad de nutrir su espíritu y buscar su propia felicidad. Como adulto, debes participar de actividades propias que te den satisfacción y felicidad. Nadie puede dar lo que no posee. Llénate de experiencias nuevas y enriquecedoras, y así podrás contribuir a la felicidad de tus hijos.

Los padres que buscan desarrollar autoestima saludable en sus hijos tienen que poseerla ellos mismos. Reconozco que, si estás en una relación matrimonial conflictiva, se te dificulta, sin ayuda profesional, mantener una autoestima saludable. Los problemas de tipo matrimonial, las satisfacciones que no recibas de tu pareja y la falta de amor terminan siendo resueltos por el apego exagerado a los hijos.

Los niños no son adultos; no compenses con ellos el amor y la atención que no recibes de tu pareja. He observado a padres y madres comportarse con enamoramiento hacia los hijos para compensar la ausencia afectiva de su pareja.

Todos tenemos necesidades que no podemos descartar como cosas sin importancia. Lo que debemos hacer responsablemente es satisfacerlas con nuestras propias destrezas. Mientras más satisfecho te sientas como persona, menos recurrirás a tus hijos para satisfacer tus necesidades esenciales.

Es necesario comentar sobre otro aspecto importante de la relación familiar: la demostración de afecto. La mayoría de los padres aman a sus hijos y con sus actos positivos así lo demuestran. Sin embargo, no dicen un *"te quiero"* porque de niños no lo recibieron o porque simplemente no lo creen necesario.

Las teorías de la personalidad enfatizan que la demostración de afecto y el contacto físico amoroso con los hijos favorecen el desarrollo emocional. El niño necesita, además de que se le satisfagan sus necesidades básicas, recibir muestras de afecto que le aseguren que es amado.

Tienes que saber crear un balance entre el afecto y la sobreprotección. El niño sobreprotegido se siente acorralado. Se siente inseguro y no actúa con libertad. La sobreprotección le envía al hijo el mensaje de que sus padres lo creen incapaz. Algunos teóricos afirman que la sobreprotección es un tipo de rechazo, ya que los padres compensan de otra forma los sentimientos negativos que tienen hacia el hijo. El afecto da seguridad y fortalece el sentido de pertenencia.

Sin embargo, muchos padres manejan ese sentimiento de rechazo a los hijos de modo contrario. Algunos actúan dando más libertad al hijo de la que éste puede manejar. Otros le dan bienes materiales en exceso y de esta forma compran el vínculo afectivo con sus hijos.

Durante la infancia, este estilo de demostrar amor puede resultar; pero, al pasar el tiempo, los bienes materiales no satisfacen la necesidad emocional de los hijos. Ellos desean una comunicación más íntima con sus padres. A veces, los padres muy ocupados pierden la oportunidad de crear esos espacios de intimidad con sus hijos.

Por otro lado, algunos padres caen en el error de pensar que, si los hijos los ven humanizados, pierden el control y la autoridad. Nada más falso que este sentir. Los hijos que perciben a sus padres como personas comprensivas se sienten en libertad de comunicar lo que han hecho bien y lo que han hecho mal.

Los hijos deben vivir con la confianza de que sus padres les resolverán sus problemas cuando se enfrenten a dificultades. Para eso debe existir la confianza de que al solicitar ayuda no sean castigados o recriminados. Los padres que son muy críticos con los hijos logran distanciamiento emocional, ya que los hijos los perciben injustos.

Tus hijos no son perfectos, como tampoco lo eres tú. Acepta la responsabilidad que implica ser padre y madre siendo tú mismo tu mejor crítico de lo que debes hacer y lo que debes dejar de hacer.

Receta de autoayuda

Ingredientes negativos	Ingredientes positivos
Estrés	Dominio personal
Problemas matrimoniales	Buen funcionamiento matrimonial
Conducta agresiva	Control emocional
Expectativas irreales	Sabiduría
Pobre autoestima	Buen concepto propio
Poca o ninguna felicidad	Felicidad
Distanciamiento emocional	Afecto

Procedimiento

Reconoce los ingredientes negativos que te acompañan día a día. Haz un esfuerzo por evitar que controlen tu vida. Elimínalos poco a poco, pues el cambio no se da en un día. Actúa con conciencia y lograrás el éxito personal que deseas.

Capítulo 2

Desarrollo de valores

Todas las familias tienen su red de valores. Los valores que sostiene cada familia surgen de las creencias, las tradiciones y las reglas de conducta que rigen la vida de sus miembros. Éstos determinan los estilos de crianza que asumimos como padres y madres. Y no existen separados del ambiente, ni de la cultura. Es así como podemos explicar la diferencia que hay en los patrones de crianza en diferentes culturas.

Los valores se enseñan a través de la socialización. Lo que les prohibimos y les aceptamos a nuestros hijos refleja nuestros valores. Los valores guían nuestro modo de actuar. Conocemos aquellos que los niños y las niñas han aprendido por la forma en que se comportan.

Si tu niño roba, se copia en los exámenes, miente constantemente, es cruel con sus amigos y animales, debes preocuparte. Nuestros hijos pueden aparentar ante nosotros que sostienen nuestros valores y, sin embargo, comportarse ante la sociedad de modo contrario a lo que les hemos enseñado y a lo que esperamos de ellos.

Los valores que tenemos como padres están influenciados por la sociedad en la que vivimos. Somos los portadores de la cultura. Nuestros valores conscientes o inconscientes guían las prácticas de crianza que utilizamos con nuestros hijos. El ambiente donde los criamos también influye considerablemente en la formación de sus valores.

Como padres, debemos reconocer cuáles factores ajenos a la familia pueden influenciar a nuestros hijos, independientemente de las condiciones familiares. La familia constituye el escenario psicológico más importante para un niño. Aunque es fuente de afecto, identidad e identificación, gran parte de la conducta del niño está influenciada por lo que sus amigos esperan de él.

De este modo, podemos encontrar niños que presentan una conducta en el hogar muy diferente de la que exhiben en la comunidad. De ahí el dicho: *"Candil en la calle y oscuridad en la casa."*

Los niños pasan por diferentes etapas de desarrollo físico, emocional e intelectual. Y el proceso de maduración les permite incorporar valores ajenos al núcleo familiar. La escuela amplía el campo social del niño. Y es allí donde comienza a desarrollar usualmente su propio estilo de actuar, basado en las actitudes transmitidas en el hogar.

Pero no podemos minimizar el efecto que tienen las diferencias individuales. Es por eso que a veces nos sorprende que nuestros hijos sostengan valores diferentes, a pesar de que nos hemos esforzado por enseñarles los mismos principios.

Cuando las familias enfrentan problemas serios, su funcionamiento se altera. La vida de los padres se complica. Pueden descuidar la supervisión de las normas establecidas que representan sus valores. Los hijos, entonces, buscan e imitan las costumbres ajenas.

Otro factor que afecta la enseñanza de valores es la movilidad geográfica. Muchos padres, por razones de trabajo, familiares o circunstanciales, se mudan frecuentemente. Algunos se mudan fuera del país, buscando oportunidades para mejorar. Los hijos deben adaptarse a nuevos ambientes y grupos sociales.

Estos cambios pueden precipitar el cambio de valores. Cómo se afectará la familia dependerá de las fortalezas de los padres y de la capacidad de los hijos para incorporar nuevos valores sin perder la esencia de los propios. Si la familia tenía serios problemas antes de reubicarse, el cambio de ambiente puede incrementarlos.

A los preadolescentes y los adolescentes, se les dificulta más adaptarse a nuevos grupos de compañeros. Unos nunca se integran, otros se integran parcialmente, y otros, para ser aceptados, llegan a rechazar los valores aprendidos en la familia y los sustituyen por los que mantiene el nuevo grupo de amigos. Esto puede ser positivo o negativo. Depende de los valores que prevalezcan en la comunidad actual.

Los adolescentes, de forma contraria a los más pequeños, actúan pensando más en lo que desean y les conviene. Pueden de este modo mantener valores adquiridos en el hogar y también sustituirlos por otros aprendidos en la comunidad. Los jóvenes tienen la capacidad para distinguir reglas, normas y valores, y así decidir cómo comportarse. Los padres deben supervisar que los amigos de sus hijos sean de la misma edad.

Las costumbres y los modos de comportarse varían con la etapa de desarrollo. Es arriesgado recibir información cuando no se tiene la madurez para procesarla.

Una de las costumbres que adquieren los adolescentes y que causa disgusto a los padres es el uso frecuente de malas palabras. Ellos no piensan que ofenden, ni las usan para ofender. Usan malas palabras para expresar una idea que quieren enfatizar. Para ellos es algo normal, y no entienden que ofenden o violentan los valores aprendidos.

Trata de no darle más importancia de la que tiene. Esta costumbre cambia gradualmente. Pero, si te molesta y no la puedes aceptar, pídele que en tu presencia y frente a sus hermanos menores no las utilice.

¿Cómo puedes conocer los valores que han adquirido tus hijos? La siguiente lista incluye valores negativos. ¿Exhiben tus hijos algunos de éstos?

- Culpan a los demás injustamente.
- Se burlan de los demás.
- No piden disculpas ante sus errores.
- No respetan las normas establecidas.
- Son irresponsables con las tareas académicas.

- No respetan las ideas y a las personas que son diferentes.
- No tienen sentido de lealtad.
- No comparten sus pertenencias.
- No respetan la autoridad.
- Son agresivos y abusivos.
- Se apoderan de lo ajeno.

Si respondes afirmativamente por lo menos a tres de estos tipos de conducta, es necesario que revalúes tus valores, tu estilo de crianza o ambos. No puedes hacer que tus hijos se comporten responsablemente si tú no eres responsable. Con gran probabilidad, lo que tú hagas será lo que ellos hagan, en lo que tú creas será en lo que ellos crean, y lo que valores será lo que ellos valoren.

Si tus hijos optan por imitar valores contrarios a los modelados por ti, necesitas clarificar lo que tú esperas de ellos. Crea un ambiente en tu hogar suficientemente estructurado y firme para que tus hijos lo respeten, pero no tan rígido que lo rechacen.

Los padres imponemos el estilo de vida que enseñamos a nuestros hijos. Los niños, a su vez, ponen nuestras costumbres a prueba. Lo hacen observando cuáles de sus conductas provocan nuestra reacción, aprobación y atención. De esta forma, aprenden lo que consideramos que es correcto e incorrecto.

Pero hay niños que presentan una conducta problemática: llaman la atención, desafían la autoridad de los padres y prueban los límites para alcanzar mayor independencia. En ese caso, los padres no deben responder a estos estilos de comunicación, pues el niño debe aprender a satisfacer sus necesidades a tono con las costumbres y los valores enseñados, y no desafiar el poder de éstos.

Los niños engreídos y malcriados son niños a quienes sus padres les han dado mucho poder. La gente tiende a pensar que estos niños son malos; sin embargo, son sólo niños confundidos que no actúan a tono con su edad. Necesitan que alguien les enseñe lo que pueden hacer o no en su etapa de desarrollo.

El mejor ejemplo que puedo brindarte de lo que es un niño que no ha internalizado los valores, ni la disciplina que le permiten comportarse bien, es el extracto de esta carta que recibí.

Arecibo, P. R., 20 de agosto de 1999.

"Mi nieto tiene seis años. Lo cuido mientras su mamá trabaja. Si uno le pide las cosas, las tira; si uno lo regaña o le dice que no, alza la voz y grita, empuja a su hermanita de dos años, le da en la cara, la muerde, le quita las cosas, y qué más no le hace."

Abuela preocupada

Según el niño va internalizando los valores morales y éticos, y pasa de una etapa de desarrollo a otra, se da el proceso de maduración. Esto le permite distinguir mejor lo que está bien de lo que está mal.

La mayoría de los niños aprenden en sus familias cómo controlar sus sentimientos negativos.

La excepción a esta regla son los niños de las familias en las cuales ocurre violencia doméstica. En estas familias se valora y se justifica la agresión para resolver problemas de relaciones. Los niños entienden que es normal y aceptable convertir sus sentimientos violentos en actos violentos. La violencia es un valor real, y estos niños viven en un hogar en el que las acciones hablan más que las palabras.

31

Los niños que viven en hogares violentos se comunican más físicamente que verbalmente. La violencia aprendida en la familia con frecuencia se exhibe en la comunidad.

Vemos que, aunque el concepto de familia implica aceptación, tolerancia, respeto y amor, es en el hogar donde puede ocurrir la agresión. Así, la familia se convierte en generadora de violencia. Esto ocurre usualmente en familias en las cuales la autoridad no es compartida. Los hijos pueden verse como propiedad de los padres.

Tienes que enseñar a tus hijos que tienen derechos y debes dar el ejemplo respetándolos. De esta forma, ellos aprenden el valor del respeto a los demás.

La televisión también refuerza la conducta violenta cuando se glorifica el uso de la fuerza. Presenta a los héroes como personas violentas y exitosas. De esta forma, los niños ven la violencia como algo deseable que produce satisfacciones y éxitos.

Por otro lado, la televisión se ha convertido en la niñera oficial de muchos de nuestros hijos. Los programas que tus hijos ven les enseñan valores y les transmiten cómo deben comportarse. Los mensajes que aprenden de la televisión tienen un alto contenido violento y sexual.

Si tú no verificas la interpretación que tu hijo o hija hace de los programas que observa, atentas contra la sana educación que debe recibir. Los niños se dedican más tiempo a ver televisión que a ninguna otra tarea, exceptuando la asistencia a la escuela. Dos horas diarias de sanos programas televisivos es suficiente tiempo para que un niño se entretenga.

Si tu hijo le dedica más tiempo, se arriesga a las siguientes consecuencias:

- Pocos o ningún amigo.
- Cansancio y sueño.

• Pérdida de interés en actividades sociales.
• Conducta y vocabulario de adulto.
• Pobre desarrollo de capacidades.
• Pobre desempeño académico.
• Desconexión emocional.
• Soledad, aislamiento social.
• Aprendizaje de valores ajenos a los de la familia.

Supervisa los medios por los cuales tus hijos reciben valores y costumbres ajenas. Debes estar disponible para clarificar los mensajes que tus hijos reciben. La televisión no enseña, por lo general, el valor de la negociación y el uso de la razón sobre la fuerza. En los programas televisivos, la violencia se presenta como un medio deseable para la solución de problemas. Eso atrae televidentes. Los actos agresivos se ven como excitantes y atractivos.

Las acciones violentas son contrarias a las acciones responsables. Cuando los niños se comportan en forma agresiva y la familia no utiliza ese estilo de comunicación, es importante que los padres conozcan lo que está motivando esa conducta agresiva.

Las agresiones pueden estar motivadas por: sentimientos hostiles, condiciones externas o sentimientos de inseguridad, por lo cual el niño ataca antes de ser atacado. La agresión contra un juguete o un compañero de juego es indicativa de un niño con problemas de control y que imita conducta aprendida.

Tienes que aprender a escuchar a tus hijos. Destina tiempo para verificar qué valores han adquirido. Los niños no hablan a padres que no escuchan. Cuando les permitimos a los hijos expresarse, no sólo los escuchamos sino que se escuchan ellos mismos. Al verbalizar sus ideas, se enfrentan con lo que ellos piensan. Tú te conviertes en el espejo donde se miran buscando aprobación o crítica. De esta forma, reforzamos valores o comenzamos a redefinirlos.

Cuando un niño recibe distintos mensajes de miembros de la misma familia, ocurre la situación que te presento a continuación.

Caguas, P. R. , febrero de 2000.

"Empecé a ser mamá a los 19 años, ahora tengo 22 y tengo 2 niños, hembra y varón. Mi problema es con el niño varón, a quien sus abuelos cuidan desde que nació. Ellos lo han consentido y dejan que el niño haga lo que le da la gana. Eso ha llevado al niño a desarrollar agresividad cuando no se le da lo que él quiere y empieza a rabiar, en ocasiones ha levantado la mano para golpearme a mí, a su papá y a ellos. Mi esposo discute con mi suegra y suegro frente al niño. Cuando esto pasa, he visto al niño con una expresión en su cara como hablándose él mismo. Esta situación está creando mucha tensión en mi hogar."

Madre joven

La calidad de la conducta que exhiben el niño y la niña conlleva que los padres desarrollen en ellos el principio moral de lo que es correcto e incorrecto. Para lograr esto, los padres tienen que motivar a sus hijos a asumir la responsabilidad por sus actos a temprana edad. Esto lo hacen los padres educando, disciplinando y dando buenos ejemplos.

Recuerda que el lugar que ocupan los valores en la vida del niño cambia según se da el proceso de maduración. Sé un instrumento positivo en ese proceso.

Receta de valores

Ingredientes negativos	*Ingredientes positivos*
Faltar el respeto	Establecer normas de conducta
Apoyar las mentiras	Motivar
Aceptar excusas	Ser justo
Excusar si está mal	Exigir a tono de sus capacidades
Apoyar conductas negativas	Confrontar
Beber alcohol	Educar
Decir malas palabras	Respetar
Dar malos ejemplos	Ser honesto
Consumir tabaco	Ser prudente
Consumir drogas	Amar

Procedimiento

Derrite a fuego alto todos los ingredientes negativos hasta que se evaporen. Vierte en un molde flexible exigencias y confrontación. Añade, con justicia, buen ejemplo, respeto, honestidad y prudencia. Cubre con motivación, normas de conducta y educación. Horneálo en baño de amor para toda la vida.

Capítulo 3

Participación en el desarrollo emocional e intelectual de tus hijos

El desarrollo emocional e intelectual de un niño está relacionado con la etapa de la vida en la que se encuentra. El niño de preescolar actúa guiado más por la emoción que por la razón. Con esto quiero decir que no tiene la capacidad para actuar pensando en lo que le conviene. Actúa pensando en lo que quiere. Si ve algo que le llama la atención, se mueve a cogerlo sin pensar en el peligro que pueda representar. El deseo de tener el objeto es lo que motiva su conducta. Tampoco sabe medir el tiempo, ni reconoce ni comprende el hoy y el mañana.

Decimos frecuentemente que los niños de entre dos y cuatro años son negativos porque no aceptan un no fácilmente. En esta etapa de la vida de tu hijo o hija, tienes que ser protector. Los niños no tienen la capacidad para entender explicaciones. No actúan para desobedecer sino para hacer lo que ellos desean.

De esta forma, están en mayor riesgo de sufrir accidentes. Se asustan con facilidad y lloran a la menor provocación. Muchos temen la oscuridad y piensan que el "Cuco" y las brujas existen. Si para lograr obediencia recurres a amenazarlo con el "Cuco", el niño te cree y de ahí en adelante le provocas miedo innecesariamente.

No te quejes si de noche no quiere dormir solo. Tú le fabricaste un miedo que sostendrá durante toda la etapa de la infancia. Conozco a personas adultas que no pueden dormir si no tienen la luz encendida, como resultado de una disciplina errónea de sus padres.

Los niños pequeños actúan más por imitación que por conocimiento. Como no han vivido lo suficiente, no tienen experiencia. Actúan como ven que otros actúan.

Si observas a tu hijo actuar negativamente, no lo regañes. Pregunta quién le enseñó eso. Cuando ya tengas la información de dónde aprendió esa conducta, corrígelo y enséñale un modo diferente de actuar. De esa manera, puedes evitar que un modelo negativo siga influenciando a tu hijo.

Observa siempre a qué juega y cómo juega. En el juego, tu hijo deja aflorar la imaginación; imita modelos significativos. Recuerdo a una de mis hijas jugando a ser maestra, gritándoles a las muñecas y amenazándolas. Ésa era la forma en la que la trataban en el preescolar, y ella repetía la conducta porque era lo único que conocía.

En esta etapa, a los niños les gusta fantasear. En sus fantasías, se convierten en los personajes que quisieran ser. A través del pensamiento fantasioso, se complacen ellos mismos. Consiguen sentirse felices.

¡Cuidado con el niño que fantasea todo el tiempo! Puede estar escapando emocionalmente de un hogar donde no recibe amor y felicidad. De esta forma, llama la atención y logra sentirse reconocido e importante. ·

Cuando los niños viven en hogares donde hay problemas de relaciones, donde se dan actos violentos, y donde se les pide más de lo que pueden dar, se tornan ansiosos. Esta ansiedad surge del miedo.

El juego repetitivo, la destrucción de juguetes, la agresión a compañeros son manifestaciones de un niño ansioso. El niño no tiene la capacidad para reconocer su ansiedad, por lo cual no acepta cuando lo confrontan con que hizo algo malo. Recurre de inmediato a decir que no fue él.

Tú piensas lógicamente que te está mintiendo. El niño no entiende lo que sucedió. Está confundido. Su nivel de ansiedad lo llevó a hacer algo que no sabe por qué lo hizo y, como no lo puede explicar porque no lo entiende, lo niega. Volverá a repetir la conducta que desapruebas porque todavía no entiende causa y efecto, y lo que le provoca ansiedad sigue presente en su vida.

Cuando los niños pasan de la etapa de la infancia a la escolar, su forma de pensar es más organizada y más lógica. Tienen conciencia de que son parte de una familia. Reconocen el lugar que ocupan en ella y pueden ubicarse en el tiempo. Saben diferenciar hoy, ayer y mañana.

Los niños en edad escolar están menos protegidos por sus padres, aunque todavía dependen mucho de ellos. Ésta es la etapa en la que tu niño logrará el mayor desarrollo emocional. Su pensamiento es más lógico y ordenado.

Al desarrollo de la inteligencia lo fomentan las experiencias enriquecedoras, tanto en el hogar como en el ambiente social y el salón de clases.

El trabajo escolar aumenta en los niños la capacidad para memorizar, organizar, clasificar y comprender el mundo que los rodea. Asimismo, crea en ellos sentido de responsabilidad.

El éxito en las tareas escolares refuerza la autoestima del niño y la niña. El apoyo de los padres en el desempeño académico es vital para el éxito escolar. Son pocos los niños que logran el éxito académico sin el apoyo de sus padres. Muchas veces, éstos se encuentran tan preocupados por sus problemas personales, que descuidan la educación de sus hijos. Algunos les transfieren tantas responsabilidades del hogar, que los niños acaban ausentándose y llegando tarde a la escuela.

Los niños preocupados y deprimidos por problemas familiares no pueden prestar atención en el salón de clases. Con frecuencia, su pensamiento se escapa y logran estar ausentes del salón de clases a pesar de estar físicamente presentes.

En esta etapa, los niños comprenden la causa y el efecto de sus acciones. Puedes dialogar con ellos. Te entienden. Si no te obedecen, es porque decidieron no hacerlo. En esta etapa, los niños tienden a ser obedientes, pues les preocupa ser aceptados. Les da mucha vergüenza que los regañen, sobre todo frente a testigos. No lo hagas, porque sólo consigues humillarlos.

Los varones disfrutan de los deportes, algo que la cultura refuerza más en ellos que en las niñas. Los deportes aumentan su destreza física y, si no supervisas sus actividades, se arriesgan a sufrir accidentes. Si tu hijo no ha desarrollado una buena imagen de sí mismo, recurre a realizar maromas que lo ponen en riesgo de sufrir accidentes.

Éste es el niño que se luce mientras los demás lo apoyan porque se atreve a hacer lo que ellos desearían hacer y no hacen. Hazlo sentir aceptado en el hogar para que no busque aceptación de ese modo.

En esta etapa, los intereses de las niñas y los niños son distintos. No comparten actividades y se asocian con niños de su mismo sexo. Mientras las niñas ya comienzan a pensar en el futuro, los varones aún funcionan en el presente.

Si tu hijo o hija se encuentra en esta etapa, entre los siete y los doce años, notarás el logro que ha tenido en su desarrollo intelectual. Esto le permite pensar, decidir y, entonces, actuar. Su pensamiento, al ser más organizado, resulta en una conducta más lógica y aceptable. Cuando decide portarse mal, sabe cuáles serán las consecuencias de lo que ha hecho.

Si te miente, es por miedo al castigo. Mientras más miente, más miedo te tiene. Evita que el miedo sea la emoción que caracterice tu relación con él o ella. Un padre o una madre a quien sus hijos le mienten constantemente ha creado expectativas irreales para sus hijos o ha establecido en el hogar unas normas difíciles de respetar.

Es de vital importancia que ambos padres estén de acuerdo con las normas de conducta establecidas en el hogar. En esta etapa, tus hijos forjan los conceptos morales e internalizan lo que está bien y lo que está mal. Si has inculcado en tus hijos normas de conducta responsables, no tienes que estar presente para que éstos se comporten como tú esperas de ellos. Por el contrario, si no lo has hecho, la desconfianza será la emoción que siempre los unirá.

El funcionamiento intelectual y emocional de tu hijo o hija en la etapa de la adolescencia dependerá grandemente del desarrollo satisfactorio que logró en la etapa intermedia.

En la etapa de la adolescencia, tus hijos actúan con mayor independencia de criterio. Dan mayor énfasis al grupo de amigos. Pasan más horas fuera del hogar o hablando por teléfono. Sorprende todo lo que tienen que decir a los demás, ya que a los padres les comunican poco. Tienden a ser reservados y a exigir privacidad a los padres y a los hermanos.

Notarás que tu hijo o hija adolescente discute mucho con sus hermanos menores porque le cogen sus cosas o entran a su cuarto. Los adolescentes valoran mucho su privacidad. Respeta su privacidad y haz que los hermanos menores, también la respeten.

Cuando dudes de su conducta, habla con él o ella. No revises sus cosas, no invadas su privacidad. Sé honesto para que puedas exigir honestidad. Si la comunicación entre ustedes no puede darse en una base de respeto y honestidad, busca ayuda profesional.

Otra área que suele tener controversia en los hogares donde hay jóvenes adolescentes es la vestimenta y el aseo personal. A los adolescentes les preocupa cómo se ven. Tienen sus propios gustos, que muchas veces son contrarios a los de sus padres. Mientras sus padres piensan que no están bien arreglados, ellos consideran que se ven de lo mejor y que sus padres no están al día. Gastan mucha energía y dinero tratando de lucir a la moda.

Tanto en la ropa que usan como en la música que escuchan, no están abiertos a sugerencias, ya que piensan que sus padres son de otra época. Hace pocos días, mi hija mayor se sorprendió cuando, al ver retratos de mi adolescencia, se percató de que la moda de hoy es igual a la de entonces. A veces los padres olvidamos que también fuimos adolescentes y que las modas son cíclicas, se van y regresan.

Los adolescentes que se han forjado metas, porque a su vez les fueron inculcadas en el ambiente en el que se criaron, tienen dos intereses principales: la escuela y el noviazgo. Ambos son intereses a largo plazo, pues los motiva el deseo de ser alguien y el deseo de compartirlo con una persona significativa.

A veces las circunstancias los desvían de esas dos metas, y aprenden a temprana edad que la vida no es color de rosa. Los padres responsables siempre deben incentivarlos a mantenerse en la escuela. Abandonar la escuela no resuelve problemas; al contrario, los crea.

El abandono escolar es más común entre los adolescentes que entre los niños. Tiende a estar motivado por la rebeldía. La carta que te presento a continuación es un ejemplo claro de esto.

Arroyo, P. R., junio de 1998.

"Soy una joven de 24 años con una niña de cinco años. Necesito sus consejos para saber criar a mi hija por un camino de integridad, estudios, respeto, etc. Yo fui una niña adolescente muy rebelde y por esa razón cometí muchos, pero que muchos errores, como no terminar la escuela, etc."

Madre joven

La insatisfacción con la escuela, el poco apoyo de los maestros y de los propios padres llevan a muchos jóvenes a devaluar la educación, y no encuentran razón alguna que los motive a asistir a clases. Por otro lado, los jóvenes que tienen el apoyo de sus padres en el aspecto académico y, aun así, no están dispuestos a aceptar las reglas escolares, las responsabilidades académicas, ni a asistir con regularidad a clase, denotan deficiencia en su desarrollo emocional. Temen al fracaso y, por no fracasar, prefieren no competir.

En tanto, los niños sobreprotegidos, así como los hijos de padres negligentes, tienen problemas de adaptación escolar.

El niño sobreprotegido por sus padres se siente avergonzado, oculta sus sentimientos o los niega al ser confrontado. Es sobrecomplaciente, necesita ser siempre aceptado, no sabe manejar el rechazo y, aunque teme, desea mayor independencia de sus padres.

Los hijos de padres negligentes no siguen instrucciones y no se ajustan a la rutina académica. Ambos tienen en común el deseo de independencia, pero por diferentes razones.

Muchos padres cometen el error de comparar a sus hijos en relación con el éxito académico. Los hijos no nacen con las mismas capacidades, ni temperamentos, ni tienen los mismos intereses. Con esa conducta, lo único que logras es frustrar al niño o la niña que, según tú, no es buen estudiante. Divides lealtades, creas problemas de relación entre hermanos y afectas su autoestima.

Cuando los padres asumen este tipo de actitud, dan paso al "síndrome del hijo preferido". Los síntomas que acompañan ese "síndrome" son:

- Hablar únicamente de ese hijo en público.
- Excusarlo siempre aunque su conducta no sea justificable.
- Darle siempre la razón.
- Halagarlo constantemente.
- No aceptar críticas a su conducta, aun cuando sean constructivas.
- Considerar su mal comportamiento como "gracioso".

Tus otros hijos no reciben el mismo trato y se resienten. La presión que creas con tu actitud es tan negativa para el hijo preferido como para el que no lo es. Nadie quiere ser visto como persona perfecta. El hijo preferido vive con un temor al fracaso de tal magnitud que, a veces, le impide actuar como quisiera. Busca complacerte y limita el desarrollo óptimo de sus capacidades.

El funcionamiento intelectual está íntimamente relacionado con el funcionamiento emocional y con el temperamento. Un niño activo, seguro de sí mismo y curioso, usualmente es exitoso en la escuela. Los padres que estimulan que sus hijos se expresen les proveen la clave para el éxito académico; así éstos ganan vocabulario, conceptos nuevos, y desarrollan su pensamiento.

Cuando los niños y las niñas han desarrollado la capacidad de expresar lo que sienten y piensan, están menos inclinados a actuar sin pensar. Los niños incapaces de expresarse correctamente y a tiempo se frustran. La frustración de paso a la conducta agresiva.

Sin embargo, los padres de hoy día favorecen que los hijos pasen largas horas frente al televisor, entretenidos en juegos electrónicos, o con la computadora, lo que limita grandemente el desarrollo de la capacidad expresiva.

Para los niños de hoy, esto implica una pérdida significativa, ya que la época actual facilita que los niños hablen y opinen a temprana edad, lo que no se nos permitió a nosotros, que hoy somos padres, y menos aún a los que hoy son abuelos.

Pero la comunicación permite no sólo la expresión de ideas sino también de sentimientos. La tristeza, la felicidad, el coraje son emociones que, al expresarse en palabras, minimizan la conducta problemática. El manejo adecuado de los sentimientos favorece el buen trabajo escolar, lo que, a su vez, aumenta la autoestima.

Un niño o una niña seguros de sí mismos no se distancian

de su grupo. Se comportan como líderes naturales y disfrutan sus logros académicos. No se meten en vicios que los alejarán de sus metas académicas.

Por otro lado, hay niños y niñas que no tienen éxito escolar, a pesar de ser inteligentes y competentes. Esto se debe a su incapacidad de prestar atención y de concentrarse. El niño o la niña que vive en un hogar con serios problemas se siente preocupado por cosas que no puede cambiar.

También hay niños y niñas que no cumplen con las tareas escolares por falta de madurez, sumada a la falta de supervisión de sus padres. No reconocen la importancia de los estudios y, acostumbrados a que todo se lo den, no desarrollan sus capacidades al máximo. Como se puede ver, la inteligencia es sólo uno de los muchos ingredientes necesarios para lograr el éxito académico.

Participa activamente en la educación de tus hijos. Visita la escuela con regularidad y conoce a sus maestros. Pregunta por los programas especiales que existen y promueve la participación de tus hijos en actividades escolares. Habla con la trabajadora social y la consejera escolar. No esperes a que te citen porque tu hijo presenta problemas en la escuela. Apoya la educación de tus hijos.

El mensaje que te quiero dar es que no importa las limitaciones que presente tu hijo o hija, no permitas que abandone la escuela. Cuando nuestros hijos abandonan la escuela a temprana edad, lo que heredan es el desempleo, el embarazo no deseado, el uso de drogas y alcohol, la conducta delictiva y el ocio. Ninguna de estas condiciones contribuye al bienestar personal y social.

Receta de estímulo intelectual y emocional

Ingredientes negativos	*Ingredientes positivos*
Ignorarlo	Comunicarse
Exigirle demasiado	Apoyar su curiosidad
Exigirle muy poco	Reconocer sus habilidades
Obligarlo a competir	Reconocer sus limitaciones
Devaluarlo	Ser consistente
Sobreprotegerlo	Educar con palabras y actos
Insultarlo	Estimular el libre pensamiento
Criticar a sus maestros	No tomar decisiones por él
Hacerle su tarea escolar	Usar el razonamiento

Procedimiento

Si tienes los ingredientes negativos en tu hogar, no los uses, son peligrosos. Échalos en el basurero. En un caldero grande, combina la comunicación, el modelado, el lenguaje correcto y el razonamiento lógico. Déjalos hervir a fuego lento.

En una sartén, prepara un sofrito con el libre pensamiento, la curiosidad, las habilidades y la consistencia. Vierte en el caldero y mézclalo. Al servirlo, adórnalo con el reconocimiento de las limitaciones y una pizca de libertad. Sírvase con amor.

Capítulo 4

La comunicación

La comunicación es vital para la convivencia social. Todos nos comunicamos con gestos y palabras. Cuando actuamos, nos comunicamos, y cuando dejamos de actuar, también nos comunicamos. Muchos de los problemas familiares surgen cuando falla la comunicación.

La primera expresión de comunicación de los seres humanos es el llanto. Cuando los padres y las madres responden al llanto del recién nacido, se da el primer contacto social.

La comunicación es tan individual y personal, que todos los infantes no lloran igual. Por eso, las madres podemos distinguir cuál es el llanto de nuestro hijo y el llanto del ajeno.

Los niños no lloran siempre de la misma forma, ni con la misma intensidad. El llanto no siempre significa lo mismo. Él puede estar incómodo, tener hambre o sentir dolor. Les toca a los padres determinar la causa del llanto y evitar que siga llorando al satisfacer sus necesidades.

A medida que el bebé va creciendo, va adquiriendo conocimiento y aprende que, con el llanto, sus padres le responden, y llega a recurrir a la manipulación para obtener su atención. Evita responder a esto, o se valdrá del grito y las pataletas para lograr su objetivo.

Los infantes imitan el vocabulario que escuchan. A veces lo usan correctamente y a veces no. Pueden utilizar oraciones incompletas o palabras incorrectas. Muchos padres responden a este tipo de comunicación. Así, logran tener un vocabulario especial que nadie más entiende. Eso es un error.

Enséñales a tus hijos a hablar correctamente desde que comiencen a hacerlo. Si no lo haces, afectarás negativamente sus relaciones con los demás. Aprovecha esta oportunidad para enseñarles vocabulario nuevo. En el momento en que descubres que tu hijo o hija recuerda datos y puede expresar frases sencillas, enséñale su nombre completo, el nombre de sus padres y su dirección de residencia; esto último, como medida de seguridad.

Los niños logran memorizar el nombre de la calle y el número con facilidad. Incluso hay niños menores de cuatro años que pueden aprender su número de teléfono. Tan pronto tu hijo se comunique (y esto varía de niño en niño), enséñale medidas de seguridad. Hay niños que a los dos años ya pueden llamar por su nombre a los miembros de su familia y saben en qué pueblo o urbanización residen.

Estoy convencida de que el problema no radica en el hecho de que los niños no pueden expresarse, sino en que los padres no se toman el tiempo para enseñarles. Los niños no nacen sabiendo; nacen con la capacidad para aprender. Te toca a ti desarrollar esa capacidad con paciencia y amor.

He visto a muchos niños utilizar palabras que denotan buena educación. Los escuchas decir *"con permiso, perdón y gracias"*. Sin embargo, esos mismos padres, cuando sus niños les dicen *"con permiso"* para lograr su atención, los ignoran. Entonces, el niño recurre a gritar para que lo escuchen, y los padres acaban pegándole injustamente.

Por otro lado, los niños dicen lo que piensan. Llegan a corregir y a contradecir a sus padres públicamente si se les presenta la oportunidad. Cuida lo que dices en presencia de un niño. Los niños escuchan y repiten sin saber el efecto que tiene lo que dicen. Hay temas que se deben conversar en privado, pues los niños interpretan a su manera lo que oyen.

Los niños de inteligencia normal que provienen de hogares donde los padres se comunican con ellos a los tres años pueden mantener una conversación sobre aspectos de rutina. Si no están en un ambiente que los distraiga, pueden compartir sus recuerdos de experiencias inmediatas o significativas. Si han vivido una experiencia dolorosa, la relatan con detalles y consistentemente. Si la experiencia vivida les creó ansiedad, la cuentan de modo repetitivo a extraños y conocidos por igual.

Por supuesto, el estilo de comunicación de un niño también refleja su temperamento. Los niños tímidos y retraídos se comunican más cuando observan que cuando hablan.

Los niños necesitan ser supervisados cuando juegan con otros infantes. Aunque les gusta estar con otros niños, pueden pelear y agredirse ante la menor provocación. Cuando quieren algo que otro niño tiene, aun siendo mayores en estatura y peso, hay niños que se atreven a agredir para conseguir el objeto deseado.

De esta manera, agreden y son agredidos. No le des más importancia de la que tiene, a menos que el otro niño sea mucho mayor. Deja espacio para que tus hijos aprendan a defenderse sin que tú interfieras. Si no te mantienes al margen, te arriesgas a enemistarte con los padres del otro niño o niña, en tanto los niños siguen siendo buenos amigos.

En esta etapa de los dos a los cuatro años, los niños son muy curiosos. Ven con las manos. Hacen preguntas utilizando constantemente el *"¿por qué?"*. Llénate de paciencia y contéstale, aunque al rato vuelva a repetirte la misma pregunta. A veces no lo motiva tener la respuesta, sino mantenerse hablando contigo. Si no le das toda la atención que desea, puede recurrir al llanto y a gritos para que lo atiendan.

La reacción de los padres al estilo de comunicación de sus hijos es vital. Recuerda que tú eres el adulto. El control y el estilo de comunicación lo decides tú. No importa bajo qué presiones te encuentres, relájate y mantén una actitud positiva y de tolerancia. No les grites. El llanto de ellos y los gritos tuyos no permitirán que se entiendan.

Para hablar con el niño o la niña, usa tono de voz suave, colócate físicamente cerca y a su mismo nivel. Míralo a lo ojos, tócalo y llámalo por su nombre. Pregúntale qué le sucede. Sé firme pero afectuoso.

Según el niño va creciendo, se torna más callado, y la conducta dice más que las palabras. El desarrollo intelectual va en aumento. La adquisición de vocabulario nuevo le permite mayor grado de comunicación. Al reconocer lo variado que es el mundo que lo rodea, su curiosidad aumenta. Las preguntas que te hace son cada día más complejas.

Aún recuerdo cuando mi hija a los cinco años me comentó: *"Mami, yo sé por dónde salen los bebés, pero ¿por dónde entran?"*

Nuestros hijos no se conforman con respuestas que no satisfagan enteramente su curiosidad. Es mejor que seas tú el que les conteste sus preguntas, y no una persona ajena, con sus propias motivaciones.

Cuando tu hijo o hija comience a usar palabras de tipo sexual, no te escandalices, porque es normal y parte del descubrimiento de su cuerpo. Si todas las partes de su cuerpo tienen nombre, ¿por qué los genitales no? No le pongas connotaciones negativas a lo que no lo tiene.

Si la palabra que usa para describir su sexualidad no es la correcta, enséñale correctamente y no le pidas que se calle. Utiliza ese momento para enseñarle el valor de la privacidad y el derecho a negarse a que le toquen sus partes privadas.

En el momento en el que los niños descubren las malas palabras, las repiten sin saber su significado. Si te ríes y le haces pensar que es gracioso, no dudes de que el niño las repetirá cuando quiera ser el centro de atención, probablemente cuando tengas visita en tu hogar o te encuentres con amigos en la calle.

Los estilos de comunicación se imitan. Es por esto que ves que algunos de tus hijos se comunican igual que tú. Imitan tu expresión facial, gestos corporales, acento, tono de voz, vocabulario y ritmo al hablar. Imitan al padre con quien más se identifican.

La forma en que nos comunicamos refleja inteligencia, educación, autoestima y el tipo de familia a la que pertenecemos. Enseña a tus hijos a comunicarse apropiadamente, pues no sólo reflejan quiénes son, sino quiénes han sido sus padres.

Por medio de la comunicación, también se ve reflejado el estado emocional del niño. Un niño que busca atención, que siente que no recibe en su hogar, trata de comunicarse de la siguiente forma:

- Se torna demandante.
- Interrumpe a los adultos cuando hablan.
- Busca aprobación todo el tiempo.
- Opina sobre todo constantemente.
- Se queja mucho.
- Se hace el gracioso.

Hay niños que tienen la necesidad de comunicar ira y poder. Esto lo hacen llevando siempre la contraria o atacando antes de que los ataquen. Como prueba de esto, te presento ejemplos de la conducta que evidencia este tipo de niño:

- Utiliza malas palabras.
- Rompe los juguetes que le pertenecen y los ajenos.
- Se rehúsa a realizar las tareas que le asignan.
- Discute todo el tiempo.
- Grita sin motivo aparente.
- Pelea con compañeros.
- Les pega a niños menores que él.

Cuando los padres ceden ante estos estilos de comunicación, le dan la impresión al niño de que está en su derecho de comportarse así. No cedas, pero no trates de controlarlo. Sólo encontrarás resistencia. Oriéntalo, sé paciente, así no tendrá la necesidad de sentirse poderoso retándote.

No lo tomes en forma personal o el niño, cuando quiera castigarte, se comunicará de modo agresivo y desafiante. No intentes castigarlo físicamente. Él pretenderá no sentirse agredido. Te reta y puede llegar hasta a reírse para provocar tu irritación.

Según el niño crece, cambia su estilo de comunicación. Entre los siete y los doce años, se preocupa por ser aceptado. Su estilo de comunicación no es impulsivo ni demandante, como lo es en la infancia y la adolescencia. En esta etapa, los niños buscan la atención y la aprobación de los adultos. Interesados por adquirir destrezas, son grandes observadores. Suelen ser complacientes y comparten responsabilidades en el hogar.

De esta forma, están más disponibles para comunicarse con el padre del mismo sexo, con quien se sienten más identificados. Cuando ese padre está ausente o la familia es numerosa, esa comunicación especial puede darse con un hermano mayor a quien el niño le reconozca cualidades paternas o maternas.

Cuando el niño llega a la etapa de la adolescencia, y la comunicación entre él y sus padres se afecta, usualmente se debe a que lo que quiere no es lo que los padres le permiten. Ésa tiende a ser la causa que motiva los problemas en la comunicación en esa etapa del desarrollo. Los adolescentes piensan que sus padres no los entienden. No te desesperes por la actitud que presente tu hijo o hija adolescente.

Habla mucho con él o ella. Crea un lazo de amistad sin perder tu posición de padre o madre. Los padres, por regla general, se comunican con los hijos para decirles lo que no deben hacer. Raras veces les decimos lo que les permitimos que hagan. Cambia tu estilo de comunicación para que tu hijo adolescente responda como tú esperas.

Los padres temen plantearles a sus hijos temas como alcohol, drogas, sexo, sida y depresión, como si al no hablar de esto no existiera el riesgo de que sucediera. Tus hijos saben mucho del tema. El que no sabe cuánto saben ellos y cuán correcta es la información que poseen eres tú. Al hablar sobre estos temas con ellos, te das la oportunidad de saber lo que piensan y dónde ubican sus valores.

No los regañes ni te burles cuando te hagan preguntas ingenuas o sin sentido. Escucha y contesta con honestidad.

Cuando los padres hemos fallado en establecer el estilo de comunicación que prevalecerá en el hogar, se da la situación que les presento a continuación.

Ponce, P. R., septiembre de 1999.

"Tengo un hermano de 15 años que insulta a mi mamá, le habla malo, le grita y no la trata como se merece. Mis papás se divorciaron cuando éramos pequeños. Mi mamá se sacrifica mucho por nosotros y sufre por el trato que le da mi hermano. Es el hijo preferido y el único varón. Lo único que deseo es una familia normal que en vez de gritarse se hablen."

Hermana desesperada

Cuando un joven abusa de su posición de hijo, no ignores la situación. Actúa para evitar mayores problemas. Háblale claramente y de inmediato. Tú tienes el poder y no tienes que probarlo. No lo amenaces. No pierdas el control; si lo haces, el mensaje que le das es que le tienes miedo.

Evita la confrontación. Los jóvenes agresivos no saben negociar. Son expertos utilizando las palabras para herir. No te des por aludido. Cuando atacan, es cuando más asustados están. Sobre todo, en la adolescencia, que es cuando nuestros hijos piensan que son las víctimas.

Los jóvenes desean y necesitan tener comunicación abierta y sincera con sus padres. Sobre todo, en temas considerados tabú. Los jóvenes que hablan frecuentemente con sus padres se comportan responsablemente. El tema de la sexualidad es uno del cual los hijos desean obtener más información, y los padres temen ofrecerla. Al responder a preguntas de contenido sexual, te recomiendo que tomes los siguientes aspectos en consideración:

- Dale confianza.
- Emplea conceptos correctamente.
- Utiliza términos precisos.
- Aclara las consecuencias de la actividad sexual.
- Verifica cómo interpretó tu hijo la información.
- Permite que exponga sus ideas.
- Sé sincero.
- Aconseja, no te impongas.

No evadas los temas de conversación que te presenten tus hijos adolescentes, úsalos para enseñarles conductas apropiadas. No tienes que estar de acuerdo con la forma de pensar de tu hijo o hija. Hazle saber tu opinión sin entrar en conflicto. Los padres y los adolescentes se acercan más emocionalmente cuando reconocen que no piensan de igual forma pero se respetan.

A la mayoría de los padres se le hace difícil respetar las decisiones de los hijos cuando son contrarias a sus deseos. Si no implica consecuencias severas, no te opongas a que actúen según su deseo, para que aprendan de la experiencia si fracasan. Permite que tu hijo adolescente cometa errores y madure a través de su experiencia. Ofrécele tu apoyo siempre.

El estilo de comunicación de cada hogar es responsabilidad de los padres. Cuando los padres no les enseñan a sus hijos a temprana edad cómo comunicarse, permiten que el niño decida qué comunica, cómo comunica y cuándo comunica.

Muchos niños y jóvenes sufren de trastornos en la comunicación, como lo son el tartamudeo y el mutismo. El tartamudeo se da más en el varón que a la niña. Ocurre a niños cuyos padres le dan valor alto a la buena comunicación. El niño tartamudo sufre porque muchas veces es objeto de bromas.

El mutismo en los niños se atribuye a que éstos proceden de hogares donde hay serios problemas y secretos familiares. Al dejar de hablar, estos niños evitan contar dichos secretos. De esta forma, evitan problemas. La calidad de la comunicación de los niños está relacionada con la calidad de la vida familiar.

La familia es la primera influencia cuando aprendemos a comunicarnos. Cuando los niños comienzan a hablar, lo hacen por imitación, repitiendo el vocabulario de sus padres. En el proceso de desarrollo, aprenderán otros estilos para expresarse.

Sin embargo, siguen siendo sus padres los primeros maestros de la comunicación. Como ejemplo de esta situación, comparto esta carta contigo.

Cidra, P. R., junio de 1998.
"Soy una madre soltera de 19 años y tengo un hijo que va a cumplir dos años. Me preocupa la actitud del padre de mi hijo. Nunca llegamos a vivir bajo el mismo techo, pero él lo visita en mi hogar.

En mi presencia, desde que mi hijo nació, él se ha dedicado a decirle fresquerías y malas palabras. El niño ha comenzado a repetirlas frente a otras personas. Él me dice que, si me da vergüenza su conducta, que se lo entregue a él, que él lo cría. Su familia me rogó que no lo dejara solo con él. Él ni siquiera le pasa pensión. Necesito su ayuda."

Madre soltera

Este padre tiene una idea errónea de lo que es ser macho. Él entiende que la comunicación agresiva y vulgar lo hace más hombre. Le debe preocupar que su hijo sea criado por una mujer, ya que su definición de lo que es femenino es sinónimo de debilidad.

La riqueza o la falta de riqueza moral del medio ambiente afecta lo que los niños aprenden y lo que comunican. Los niños necesitan ser guiados moralmente para que aprendan qué comunicación es adecuada e inadecuada. Sobre todo, necesitan recibir mensajes consistentes en hogares que les brinden seguridad y amor.

Receta de comunicación

Ingredientes negativos	*Ingredientes positivos*
Ponerle sobrenombre	Escucharlo
Hablar con doble sentido	Reírte de sus chistes
Usar palabras obscenas	Contestarle sus preguntas
Interrumpirlo cuando habla	Pedirle su opinión
No contestar sus preguntas	Brindarle tu atención
Mandarlo a callar	Admitir tus errores
Imponer tus ideas	Compartir tus ideas
Ridiculizarlo	Motivarlo a pensar

Procedimiento

Coloca todos los ingredientes negativos en el triturador. ¡Tritúralos! Vierte en un envase tu atención, tus ideas y las ideas de tu hijo. Admitiendo tus errores, añade gradualmente respuestas a sus preguntas y escúchalo. Pídele su opinión motivándolo a pensar. Sirve templado, riendo de sus chistes.

Capítulo 5

Disciplina y castigo

Los padres tenemos la tarea de enseñar a nuestros hijos a comportarse adecuada y responsablemente en sociedad. Cuando la conducta del niño no va a tono con lo que se le ha enseñado y se espera de él, los padres recurren a la disciplina. De esta forma, buscan que los hijos obedezcan.

Todos los niños pasan por etapas de desobediencia y testarudez. Lo demuestran negándose a ordenar el cuarto, a realizar la tarea escolar cuando se les solicita, al jugar con los amigos sin permiso, o al usar el teléfono hasta altas horas de la noche. No le dan importancia a lo que tú le das importancia.

Antes de establecer un estilo de disciplina en estos casos, evalúa primero la motivación de tu hijo para desobedecer y cómo es su temperamento. ¿Qué lo motiva a actuar de esa manera?

¿Es tu hijo obediente o desobediente? ¿Tiene capacidad para cambiar su conducta? Te invito a evaluar la conducta de tu hijo o hija usando la siguiente guía:

- Casi nunca hace lo que le pides.
- Cuestiona las reglas.
- No puedes depender de él.
- No es confiable.
- Tienes que llamarle la atención constantemente.
- Tienes que repetirle lo que debe hacer.
- Siempre pone excusas.
- No reconoce cuando está mal.
- Culpa a los demás.

- Llora para evitar la disciplina.
- Contesta con mala crianza.

Esta guía te permitirá evaluar cuán receptivo es tu hijo o hija a la disciplina. Si respondes afirmativamente a la mitad de las aseveraciones de la guía, debes revisar tu estilo de disciplina.

Los niños y los jóvenes ponen a prueba el nivel de tolerancia de sus padres. No permitas que te hagan perder la paciencia. Recuerda que el objetivo de disciplinar a los hijos es lograr en ellos sentido de responsabilidad. Si pierdes el control y los agredes, estarás usando un estilo de disciplina irresponsable.

Si tus hijos no hacen la tarea que les has asignado, no la hagas tú por ellos. Sé paciente y espera a que ellos cumplan con lo que les has pedido. Sólo así podrás inculcar en ellos buenos hábitos. Trata de combinar responsabilidad y privilegios. De esta forma, tus hijos saben que, si cumplen con lo que se espera de ellos, se verán complacidos con lo que desean.

Evita crearles sentido de culpa. Usualmente lo haces cuando a tus hijos no le salen bien las cosas por no haberte obedecido. El *"te lo dije"* crea más resentimiento que cambios positivos.

¿Cuáles son las razones para que un niño o una niña no obedezca a sus padres?

- Llamar la atención.
- Imitar la conducta de otros.
- Confusión por las normas inconsistentes.
- Retar la autoridad.
- Sentirse mayor.

Uno de los objetivos al establecer métodos disciplinarios en el hogar es lograr que los hijos desarrollen controles. Para esto, primero los padres crean límites para establecer lo que se puede o no hacer.

Los niños y las niñas demuestran controles internos cuando ellos mismos pueden juzgar si lo que hacen está bien o mal. De esta forma, se comportan correctamente siguiendo las reglas establecidas por sus padres. Para lograr la madurez emocional, es imprescindible que los niños desarrollen la capacidad de autocontrol.

Los niños aprenden a controlar su conducta cuando los padres han establecido reglas en el hogar. Es más efectivo establecer pocas reglas y dar seguimiento a su cumplimiento, que tener muchas reglas y no sostenerlas.

Los padres no siempre van a estar de acuerdo sobre la disciplina que debe usarse cuando los hijos desobedecen. Cada uno trae experiencias de vida diferentes, que surgen en los hogares donde se criaron. Sin embargo, los padres deben ponerse de acuerdo y, si hay diferencia de opiniones, sólo uno debe disciplinar en esa ocasión.

La gran mayoría de los padres que me escriben quieren ser buenos padres. Se preocupan por ser más democráticos y comprensivos que lo que sus propios padres fueron con ellos.

Los niños y las niñas necesitan desarrollarse en un hogar donde se establezcan límites, orden, estructura, y se les provea sentido de pertenencia. Además, necesitan la libertad para escoger entre las opciones disponibles y así desarrollar sentido de competencia e independencia.

Cuando establezcas reglas en tu hogar, toma en consideración las siguientes sugerencias:

- Establece reglas que tus hijos entiendan.
- Enséñales que violar las reglas conlleva penalidades.

- Enséñales que cumplir las reglas tiene recompensas.
- Enséñales a reconocer tu autoridad.
- Enséñales el valor de las reglas establecidas.
- Revisa las reglas cuando dejan de ajustarse a los cambios en la familia.
- Sé consistente en la aplicación de las reglas.
- Ambos, padre y madre, deben estar de acuerdo al establecer las reglas y al hacerlas cumplir.

El establecimiento de reglas en el hogar ayuda a los hijos a sentirse parte de la familia. Les brinda seguridad y se sienten identificados. Reconocen que todo acto tiene consecuencias. Un niño que no conoce reglas no puede adaptarse al mundo social.

Los estilos de disciplina varían. La forma de ser del niño muchas veces establece el estilo que utilizamos. Hay niños que respetan las normas sólo con llamarles la atención. Otros requerirán el retiro de privilegios antes de respetar las normas establecidas.

Los estilos de disciplina también dependen de la edad del niño. El niño tiene que comprender por qué se lo disciplina, para que tenga significado para él. Con los infantes, la función de los padres va más dirigida a imponer limitaciones o la seguridad del niño se verá amenazada. Ésta no es tarea de un solo minuto; con el infante hay que ser repetitivo.

Hay niños con situaciones especiales, como los prematuros, los que lloran constantemente, los que tienen problemas digestivos y sufren de cólicos, los que tienen problemas de aprendizaje o déficit de atención, entre otros. Estos niños necesitan mayor atención de sus padres y encargados.

Si tu hijo tiene una necesidad especial y no tienes la capacidad para atenderlo, busca ayuda. El cuidado de este niño requiere paciencia, amor y aceptación. Muchos son objeto de maltrato porque sus padres no saben o no pueden atenderlos responsablemente.

Cuando los niños crecen, los métodos disciplinarios cambian. Muchos padres recurren al castigo físico, lo que es efectivo para detener la conducta negativa transitoriamente, pero no enseña nuevos modos de comportarse.

> Yauco, P. R., febrero de 1998.
>
> *"Tengo tres niños, de 6, 8 y 11 años. Son de todo un poco. Dulces, cariñosos, agresivos y desobedientes. Recibo muchas quejas de la niña de 6 años. Soy madre y padre. Trabajo como secretaria. Se me hace difícil controlarlos. En ocasiones discuten, se dan golpes, y no tengo otro remedio que agarrar la correa. Así sólo se calman, pero vuelven a comportarse igual. Ayúdeme."*
>
> Madre de tres niños

Un momento difícil para los padres se da al impartir disciplina cuando los hermanos pelean, pues éstos tienden a culparse mutuamente. Ambos se presentan como víctimas. El que se expresa primero usualmente tiene ventaja sobre el que habla después, ya que relata en primer lugar su versión del problema.

Si respondes de inmediato sin escucharlos a ambos, puedes ser injusto y llegar a conclusiones equivocadas. Si en esos momentos tus hijos están muy alterados, no escuches a ninguno. Envíalos a diferentes áreas de la casa y espera a que estén más controlados. Habla con cada uno por separado y, si lo crees conveniente, reúnelos e imparte disciplina.

Si tus hijos acostumbran discutir, cuando analices su conducta toma en consideración los siguientes aspectos:

- Reconoce que cada uno es único e individual.
- Evita ser parcial con uno de ellos.
- Bríndale atención especial al que resultó victimizado.
- Permite que tus hijos resuelvan sus problemas con mínima intervención de tu parte.
- Establece consecuencias para evitar que siga ocurriendo.
- Trata de ser justo.

Elogia a tus hijos cuando han logrado corregir una conducta que desapruebas; de esta forma, ellos saben que no han pasado inadvertidos y los estimulas a seguir las normas establecidas con gusto. Fomenta la autoconfianza y la autoestima en ellos.

Si tus hijos adolescentes se comportan negativamente y se resisten a obedecer las normas, te invito a negociar. Pregúntales qué desean hacer para corregir el problema. Pídeles que propongan una solución.

Si tu hijo o hija opta por una actitud desafiante o de rebeldía, no te envuelvas en una discusión innecesaria. La autoridad es tuya, aprende a usarla. Evita la confrontación, la falta de respeto y los insultos. Si entiendes que has sido muy tolerante y no estás dispuesto a ceder, no inicies una negociación que no tiene razón de ser. Da por finalizado el tema y pospón la conversación para otro momento. Muchas veces, ese compás de espera baja la tensión y resulta beneficioso para todos.

Éste puede ser el momento para que, como padre, recargues tus energías. Te recomiendo que hagas ejercicio, escuches música, des una vuelta o hagas lo que más te gusta. Los padres usamos tanta energía en la crianza de los hijos, que es necesario recargar las baterías. De esta forma, estarás en condiciones psicológicas más adecuadas para impartir disciplina con justicia.

Si, por el contrario, has perdido la paciencia y has dicho o hecho algo que lamentas, pide excusas. Tu hijo te respetará más. Se dará cuenta de que también los adultos se equivocan y saben pedir perdón. Todos tenemos un mal día, y es de humanos equivocarse.

Recomiendo el retiro de privilegios en el momento de disciplinar. Con esto se logra que el niño cambie su conducta por temor a no poder hacer lo que le gusta. Si disciplinas utilizando el retiro de privilegios, toma en cuenta las siguientes consideraciones:

- Sé justo. La falta y el castigo deben ser proporcionales.
- No actúes impulsivamente, pues no te guiará el deseo de educar sino el de hacer daño.
- Sé flexible. Toma en cuenta la reacción del niño ante la disciplina.
- Sé moderado si tu intención es lograr el respeto de tus hijos y no su rechazo.
- Evita el castigo físico. No estimules la conducta agresiva en el niño o te expones a incurrir en maltrato físico.

El manejo de la disciplina es el área de mayor preocupación para los padres. Como ejemplo, te presento la siguiente situación, que demuestra que el castigo físico no genera conducta positiva.

Caguas, P. R., noviembre de 1999.

"Necesito su ayuda con un problema que no puedo resolver. Mi hija tiene 14 años y desde que comenzó a caminar se me hace difícil controlarla. Mi mamá y mi abuela me decían que debía pegarle. Así que, novata al fin, comencé a hacerlo. Mi

error fue permitir que otras personas cambiaran mi forma de pensar. Ahora, cuando la regaño, me insulta, me amenaza y se va a la calle. Simplemente, no me respeta. Quiero que mi hija cambie. Ya no tengo la paciencia para disciplinarla correctamente. Necesito herramientas, ya que su papá me abandonó al ella nacer."

Arrepentida

El estilo de la disciplina que usas con los hijos menores no es el mismo que se utiliza con el adolescente. Con el adolescente debes explorar qué lo motiva a no seguir las normas establecidas.

Ofrécele ayuda para evitar que repita la conducta negativa. Clarifícale las consecuencias que tiene para él, ya que el perjudicado por su conducta es él mismo. No debes utilizar la manipulación. Evita los siguientes comentarios:

- *"Que habré hecho para merecer esto?"*
- *"Estoy pagando las que hice."*
- *"¿Cómo puedes ser así después de lo que he hecho por ti?"*
- *"Tan bueno que eras…"*

Estos comentarios no mejoran la comunicación, ni cambian la conducta en el adolescente.

Recuerda que con el adolescente no puedes ser muy controlador ni amenazante, pues provocas conducta rebelde. Pero tampoco seas tan permisivo que no te respete y piense que todo lo que él haga lo darás por bueno. Necesitas ser buen negociador.

Recuerda que lo que tú deseas para el adolescente no es lo que él desea para sí mismo.

Aunque los padres entiendan que el objetivo de la disciplina y el castigo tiende a lo mismo, el proceso y las consecuencias no.

Muchos padres, en el momento de disciplinar, están en tensión por la falta que ha cometido el hijo. El estrés puede llevarlos, entonces, a disciplinar inadecuadamente. Voy a identificar algunas fuentes de estrés para que evalúes si ésas son tus circunstancias y tomes medidas preventivas:

* Presiones económicas.
* Problemas conyugales.
* Problemas de salud.
* Consumo de drogas.
* Consumo excesivo de alcohol.
* Varios hijos de casi la misma edad.
* Niños con necesidades especiales.

No hay problema, ni grande ni pequeño, que pueda tener un padre o una madre, que justifique actos de violencia contra un niño o una niña.

Los niños dependen de sus padres para su cuidado y protección. Cuando los padres fallan en asumir esa responsabilidad con respeto y amor, los niños sufren.

Y si los padres, en nombre de la disciplina, abusan de sus hijos, afectan su autoestima. Estos niños crecen pensando, entonces, que son tan malos que ni sus propios padres los quieren.

Un niño con baja autoestima va a tener una definición pobre de sí mismo. Se aísla y no participa activamente en actividades propias de su edad. Se siente menos y se expone a ser victimizado y ridiculizado por los demás. Tiende a no defenderse porque llega a creer que todo lo malo que pasa se lo merece.

Los niños con pobre autoestima pueden comportarse de forma violenta. No les preocupan las consecuencias de sus actos, pues no se aman a sí mismos.

Autoestima

Lo que el niño piensa de sí mismo.

Autoestima positiva implica:	Autoestima negativa implica:
Felicidad	Desconfianza
Buena conducta	Retraimiento
Adaptación positiva	Vergüenza
Independencia	Inferioridad
Amor propio	Agresividad
	Conducta de alto riesgo

Para evitar incurrir en maltrato cuando lo que pretendes es disciplinar, te sugiero las siguientes pautas:

• No amenaces.
• No insultes.
• No grites.
• No uses malas palabras.
• No uses objetos para pegar.
• No uses sobrenombres.
• No utilices la agresión.

Solo tú puedes decidir tu estilo de disciplina. Tienes la opción de disciplinar, para contribuir al desarrollo pleno de tus hijos o para impedirles ser felices y ciudadanos de provecho.

Te invito a leer esta tabla para que puedas visualizar las diferencias:

Disciplina	Castigo
Busca cambio de conducta.	Busca parar la conducta.
Estimula el razonamiento.	Crea pena, ira y dolor.
Produce cambio a largo plazo.	Produce cambio a corto plazo.
Es motivada por la preocupación.	Es motivado por la ira.
El niño se siente valorizado.	El niño se siente maltratado.
El niño se siente aceptado.	El niño se siente rechazado.
El niño reconoce lo negativo de su conducta.	

Cuando los problemas de disciplina de tu hijo persisten, tienes que sentarte a analizar la situación con tu pareja o expareja. Ambos padres deben formar un frente unido y llegar a un acuerdo de cómo resolver la situación.

De esta manera, el hijo o la hija no pensará en dividirlos para hacer lo que le plazca. De lo contario, ocurrirá lo que dice el dicho popular: *"A río revuelto, ganancia de pescadores."* Si no pueden ambos ayudar a su hijo o hija a mejorar su conducta, busquen ayuda profesional. Recuerden que los cambios ocurren poco a poco.

Receta de disciplina

Ingredientes negativos	Ingredientes positivos
Insultarlos	Permitirles actuar conforme con su edad
Pegarles con objetos	Aceptarlos como son
Negarles alimentos	Decirles lo que esperas
No darles otra oportunidad	Cumplir tus promesas
No permitirles llorar	Respetarlos
No escucharlos	Permitirles cometer errores
No consolarlos	Reconocer tus errores
Retirarles privilegios por mucho tiempo	Enseñarles cómo comportarse
	Motivarlos a mejorar

Procedimiento

Echa en una licuadora todos los ingredientes negativos hasta que estén bien triturados. Vierte en varios recipientes tus promesas cumplidas (la cantidad de recipientes va a depender del número de hijos que tengas). Cúbrelas con motivación hacia el mejoramiento. Échale pizcas de orgullo, respeto y aceptación.

Combínalo con permisividad para cometer errores y actuar según su edad. Sabe sabroso cuando les dices lo que esperas y reconocen el valor de tus enseñanzas. Esta porción debe rendir para toda la vida y un mes más.

Capítulo 6

Violencia doméstica /
maltrato de menores

La violencia doméstica provoca sufrimiento en los niños. Ninguno de sus padres, ni el agresor ni el agredido, está disponible emocionalmente para ocuparse de su cuidado. Los adultos participantes del ciclo de la violencia doméstica olvidan muchas veces que los insultos y las agresiones físicas son observados por sus hijos.

Aunque la familia debe ser centro de amor y respeto para sus miembros, es en el hogar donde mayormente se dan actos de agresión. Por lo general, cuando las mujeres y los niños son víctimas, los agresores son varones miembros de la misma familia. Si surgen conflictos en las familias donde la autoridad no es compartida por ambos padres, hay mayor riesgo de violencia doméstica.

Los problemas que tengas con tu pareja deben ser resueltos a la mayor brevedad. Justificar que te mantienes en una relación violenta por no afectar a tus hijos es una fantasía; tus hijos ya están afectados. Muchas veces, ni te percatas de que tus hijos observan.

También, erróneamente, tiendes a pensar que los niños pequeños no se dan cuenta de lo que ocurre. Te equivocas. Los niños observan de manera subjetiva las interacciones de sus padres. Llegan a interpretar y a concluir ideas y actitudes acerca de sus padres y de ellos mismos.

Pueden hablarse a sí mismos y pensar: *"Tengo que evitar que peleen."* Llegan a sentirse responsables por la seguridad de sus propios padres. Al hacer esto, descuidan su propio bienestar. Se afectan negativamente sus funciones básicas, como comer, dormir, estudiar, jugar y relacionarse con los demás.

De esta forma, el niño se convierte en adulto responsable de la seguridad de los adultos que deben ser responsables por él. Llegan a identificarse con el padre agresor o con la madre agredida. Lo primero les da una falsa seguridad y piensan que así se protegen de convertirse en víctimas directas. Otros, por pena, se identifican con la víctima y crean distanciamiento emocional del padre a quien perciben como responsable del problema.

Los niños tienen temperamentos diferentes. Si tu hijo o hija es vulnerable emocionalmente, lo que ocurre a su alrededor lo afecta más de lo que tú piensas. El niño o la niña con temperamento vulnerable necesita sentido de seguridad, y el hogar donde se da la violencia doméstica no se lo provee.

Para sentirse seguros, estos niños responden con agresividad. En ellos se da una pobre definición de las fronteras personales. Esto quiere decir que, o bien se atreven a comportarse violentamente con los demás, o bien son incapaces de defenderse de las agresiones de otros. Como resultado directo, los niños se convierten en adultos maltratantes o adultos víctimas de maltrato.

La carta que te presento a continuación es un vivo ejemplo del efecto de la violencia doméstica en los niños.

Aguada, P. R., abril de 1998.

"Tengo 26 años y soy madre de un niño de cuatro. Mi niño es muy agresivo, tal vez por conducta aprendida, pero creo que estoy a tiempo para ayudarlo. Yo fui hija de padres maltratantes, tengo ocho hermanos y varios de ellos son problemáticos. Mi hijo se pone conmigo agresivo, me grita, me contesta y me amenaza que si tengo otro nene le da con un palo. Yo me pongo triste y le pego en la boca. Después lloro porque no me gusta pegarle. Tengo miedo de que el nene, al pasar el tiempo, se me descarrile."

La desolada

Los padres que, a su vez, han sido víctimas de maltrato, ya sea directo o indirecto, pueden con facilidad perder el control y llegar a maltratar sin desearlo. Los padres que maltratan a sus hijos saben que actúan mal. El sentido de culpa, unido al sentido de frustración por no ser buenos padres, agrava la situación. Se sienten inadecuados, a merced de sus emociones, y son abusadores que se sienten abusados.

Hay hogares donde ambos padres, por necesidad, por comodidad o por falta de sensibilidad, recurren a sus hijos para que asuman las responsabilidades de ellos. En estos hogares observamos a niños a cargo del cuidado de otros niños, de la limpieza del hogar y de la preparación de alimentos.

Cuando los niños pequeños asumen responsabilidades no adecuadas para su edad que, por consecuencia, ponen en riesgo su salud y seguridad, son víctimas de explotación. Estos padres no reconocen las limitaciones y las capacidades que poseen sus hijos en las diferentes etapas del desarrollo.

En este tipo de hogar, se tiende a sacrificar al hijo o la hija mayor, en quien delegan la autoridad en ausencia de los padres. Si el estilo de éste o ésta, al estar a cargo de los hermanos, es democrático, los hermanos lo aceptan, lo imitan y, al pasar los años, todavía le confieren autoridad sobre sus vidas. Si, por el contrario, es autoritario y dominante, los hermanos lo rechazan y, al pasar el tiempo, la distancia entre ellos crece, afectando sus relaciones en la vida adulta.

Padre o madre que lees estas líneas, no seas injusto con tus hijos. Acepta que éstos dependan de ti, y no tú de ellos.

Te invito a considerar los siguientes conceptos sobre el niño para evitar que establezcas comparaciones:

- Un niño es diferente de otro niño.
- Todos los niños tienen cosas en común.
- Todos los niños crecen y pasan por etapas.

- El ritmo de crecimiento de los niños varía.
- Los niños se comportan de modos diferentes.
- El temperamento de un niño lo hace diferente de otros niños.
- Los niños no se comunican de una única manera.

Frecuentemente escuchamos el comentario de que todos los hijos se crían iguales. No hay nada más falso que eso. Los padres no crían igual porque los hijos son diferentes, nacen en momentos diferentes y en diferentes circunstancias. El temperamento del niño usualmente afecta nuestra forma de criarlo.

Los padres que tienen niños pequeños están conscientes de que el maltrato de menores existe. Se preocupan cuando delegan el cuidado de éstos en otras personas o en instituciones. Aunque la mayoría de los centros de cuidado y centros preescolares son lugares seguros, tu preocupación es válida. Te sugiero la siguiente guía al seleccionar el centro de cuidado donde dejarás a tu hijo o hija:

- Asegúrate de que el centro está habilitado para operar.
- Indaga si se han dado quejas en contra del centro.
- Conversa con los padres cuyos hijos están o han estado en el centro.
- Pregunta cómo se seleccionan los empleados.
- Pregunta cuántos empleados hay por grupo de niños.
- Asegúrate de que tienes el derecho de visitar el centro a cualquier hora del día.

Todas las anteriores son medidas preventivas que te sugiero por el bienestar de tus hijos. Otra medida preventiva que puedes poner en práctica es ayudar a tus hijos a reconocer las circunstancias en que se pueden convertir en blanco de maltrato. Te sugiero que discutas con él o ella las medidas preventivas que te presento a continuación:

- No hagas favores a desconocidos.
- No te subas en carros con desconocidos.
- No entres solo/sola a baños públicos.
- No aceptes dinero, ni regalos de extraños.
- No les abras la puerta a desconocidos.
- No des información por teléfono.
- No subas solo, ni con extraños, en el elevador.
- No camines por sitios solitarios.
- Si te pierdes en un centro comercial, ve a la caja registradora y pide ayuda.
- No permitas que desconocidos te tomen fotografías.
- Siempre pide permiso para salir.
- Si algo no te agrada, cuéntaselo a tus padres.
- Siempre defiende tu derecho a decir que no.
- No pidas permiso para ir a un lugar y te desvíes a otros.

Las exigencias que puedas tener para prevenir que tu hijo sufra de negligencia y maltrato nunca están de más. La seguridad de los hijos no se negocia. En tu hogar, también debes observar medidas preventivas. Evita accidentes, vela por la seguridad de tus hijos poniendo fuera de su alcance objetos pequeños, peligrosos o venenosos, que pudieran llevarse a la boca.

Evita tener muebles cerca de las ventanas o barandas del balcón. Los niños pequeños son curiosos y se trepan en los muebles para ver mejor. Los niños menores de cinco años son más vulnerables a sufrir accidentes fatales.

Los hijos son fuente de tensión para muchos padres y madres. Cuando los padres no saben o no pueden manejar los problemas de la vida y las responsabilidades paternas y maternas a la vez, llegan a cometer maltrato.

Los padres que maltratan a sus hijos se caracterizan por: falta de amor propio, aislamiento social, pobre control de impulsos, antecedentes de abuso y aceptación de la conducta violenta como un medio para resolver problemas.

El padre o la madre rígidamente autoritario justifica que les exija a los hijos sumisión absoluta. Puede llegar a ser cruel con ellos, con la excusa de que los disciplina. Muchos padres que son violentos educan a sus hijos del mismo modo en que ellos fueron educados.

El maltrato a niños es una extensión de la violencia en la sociedad. No es sólo un asunto familiar. Involucra al abusador activo, al compañero invisible pasivo, y a los demás niños de la familia que son observadores asustados. Usualmente, cuando se da el abuso físico, va dirigido a uno de los hijos. Los hijos observadores no son necesariamente los más afortunados, y es poco probable que la sociedad se beneficie de su conducta futura.

Muchos padres que utilizan el castigo físico severo piensan que es una forma legítima de disciplinar a los hijos. Creen que de este modo enseñan respeto, cuando en realidad enseñan a odiar. Otros golpean al hijo no amado, al que perciben diferente. Los padres que tienen niños con necesidades especiales se avergüenzan de sus hijos. La condición que pueda presentar el hijo lo hace sentir menospreciado. Quisieran que el hijo no existiera, y el maltrato se convierte en un deseo de eliminarlo; deseo que algunos padres logran alcanzar.

A ti, padre o madre, que lees estas páginas, te recomiendo que reconozcas cuáles son tus necesidades y busques la manera responsable de satisfacerlas. Sólo así podrás satisfacer adecuadamente las necesidades de tus hijos.

Existen padres que se sienten tan abrumados por la responsabilidad que representan los hijos, que prefieren no asumirla y se convierten en padres negligentes. Esto hace que estos niños vivan sin supervisión, pues sus padres no saben dónde están ni lo que hacen. La forma en que disciplinan responde más a su estado emocional que a la conducta negativa del hijo.

Este tipo de padre crea en sus hijos un pobre control de impulsos. Cuando el niño o la niña se mete en problemas en la comunidad, este padre, como se siente responsable o cómplice, lo excusa, dándole así licencia a su hijo para comportarse mal.

En las familias donde se da la negligencia, ocurre lealtad recíproca. Los hijos no esperan mucho de sus padres, y los padres esperan poco o nada de sus hijos. En la escuela, los hijos de padres negligentes presentan problemas de ajuste y de adaptación. No están acostumbrados a seguir instrucciones y no respetan reglas o normas establecidas. Optan por abandonar la escuela a temprana edad.

¿Cómo puedes evitar ser un padre o una madre maltratante? Conócete a ti mismo. Evita circunstancias que te impidan mantener en control tus emociones. El secreto es *control*.

El padre o la madre que falla en controlarse a sí mismo y cae en conducta maltratante es débil. Usualmente no asume responsabilidad por sus actos. No ve a sus hijos como seres separados y únicos. No reconoce que las necesidades de sus hijos son diferentes de las de él o ella. Una persona en control es responsable.

Cuando el padre o la madre comete abuso físico, lo hace para causar dolor motivado por la ira. En su falta de control, llega a provocar daño físico severo, evidenciado por fracturas, quemaduras y laceraciones, e incluso puede llegar a causar la muerte.

Muchas veces, un padre o una madre que maltrata a un hijo necesita a alguien con quien hablar, pues se puede sentir sobrecargado por la responsabilidad que representan los hijos. No quiere hacerles daño, pero no sabe cómo evitarlo.

Ante el aumento de divorcios en todos los grupos sociales, es importante reconocer las implicaciones que esto tiene en la crianza de los hijos. Como consecuencia, hay una proporción alta de hogares en donde la madre es la jefa de familia y sufren de estrechez económica.

El ingreso insuficiente para satisfacer adecuadamente las necesidades de los hijos es una dificultad mayor que las madres separadas, divorciadas o solteras encaran. Además, muchas de las necesidades personales, sociales y económicas de estas madres no son satisfechas adecuadamente. Y, si no cuentan con apoyo familiar, o social, se les dificulta la crianza de los hijos; lo que hace que estén más propensas a incurrir en maltrato.

Los traumas psicológicos que sufre el niño víctima de maltrato físico son menos visibles y a veces pasan inadvertidos. El niño sufre miedo constante, cambios repetitivos de estado de humor, depresión, aislamiento y falta de atención, entre otros. Su conducta no causa problemas, ya que estos traumas inhiben su ira en vez de incentivarla. Como resultado, los adultos que lo rodean no se percatan de su situación real.

Cuando en la relación matrimonial tu pareja descarga su frustración e irritación en los hijos, protégelos. Si te sientes incapaz de hacerlo, busca ayuda o serás cómplice del maltrato.

Cuando te percates del maltrato que sufre tu hijo o éste te lo cuente, te sugiero que reacciones de la siguiente manera:

- Motívalo a hablar.
- Créele.
- Apóyalo.
- Respeta sus sentimientos.
- Ayúdalo.

Si los padres no tienen fe y confianza en sus hijos, es imposible que éstos desarrollen fe y confianza en sí mismos.

Si como padre te has fortalecido y has desarrollado sentido de identidad, y te sientes realizado porque disfrutas de tu trabajo, de tu familia y de ti mismo, estás en control. Puedes entonces separar la razón y la emoción, y llegar a aceptar a tus hijos como son.

Si uno de los padres comete maltrato físico, emocional o por negligencia, usualmente es de conocimiento del otro. Sin embargo, cuando el maltrato es de tipo sexual, éste tiende a ser un acto desconocido por el padre no maltratante. Es importante que conozcas los indicadores que muestra un niño o una niña que está siendo victimizado sexualmente por una persona dentro o fuera de su núcleo familiar.

La conducta de un niño abusado sexualmente puede caracterizarse por los siguientes indicadores:

• Conocimiento sexual del que carecía previamente.
• Conducta sexual persistente.
• Pesadillas recurrentes.
• Molestia genital.
• Agresividad excesiva.
• Falta de atención-concentración.

Ningún niño está preparado emocionalmente para enfrentarse al abuso sexual. Necesita el apoyo total del padre no maltratante.

De igual forma que les enseñas a tus hijos sobre medidas de seguridad e higiene personal, tienes el compromiso de ofrecerles información que los prepare para evitar que sean víctimas de abuso sexual. Esto debes hacerlo sin causarles ansiedad innecesaria, o que el niño o la niña llegue a entender que todo lo relacionado con el sexo es malo y desarrolle inhibiciones y sentimientos de culpa.

Te ofrezco varios mensajes que puedes enseñarles a tus hijos para defenderse de un posible abuso sexual. Exprésales que:

- Cuando esté en el baño, nadie debe estar con él o ella, y cuando hay otra persona en el baño, no debe entrar.
- Su cuerpo es suyo, es privado, nadie debe tocarlo.
- Si algún familiar lo baña, no debe tocar repetidamente sus partes privadas. Nunca debe bañar a un adulto.
- Al vestirse y desvestirse, debe hacerlo solo y en privado.
- No debe jugar de manos con personas mayores que él.
- Así como dice que no cuando le piden sus juguetes prestados, debe decir que no cuando quieran tocar su cuerpo, pues en ambos casos tiene derecho a decir que no.

La educación sexual debe comenzar en el hogar. Como padres, somos los primeros educadores en la vida de nuestros hijos. Mientras más informados estemos, mejor será la calidad de la comunicación y mejor el producto de nuestra enseñanza.

Te invito a mejorar la calidad de vida familiar. Crea en tu hogar un ambiente de afecto, comprensión, tolerancia y buenas relaciones. Los problemas y los conflictos son inevitables. Lo que sí puedes controlar es el modo en que resuelves los problemas. De esta forma, tus hijos aprenderán de ti el modo correcto de bregar con las situaciones críticas de la vida, finalizando así el ciclo de la violencia doméstica y el maltrato de menores.

Receta para prevenir violencia doméstica y maltrato de menores

Ingredientes negativos	*Ingredientes positivos*
Discusión de pareja	Protección
Agresión física	Educación sexual
Falta de supervisión	Creer y validar sentimientos e ideas
Pérdida de control	Respetar
Insultos	Control emocional
Humillaciones	Respaldo
Tratar al niño como adulto	Amor
Tocar sus partes privadas	
Descuidar sus necesidades	

Procedimiento

En un recipiente, echa los ingredientes negativos: maltrato, discusión, negligencia, insulto y abuso. Fríelos hasta quemarlos.

Vierte en una licuadora los ingredientes positivos: de protección, educación sexual, control, respaldo y amor. Cuando la mezcla esté líquida, sirve en recipientes. Enfríalos en la nevera y sírvelos a tus hijos cuando estén consistentes.

Capítulo 7

Cuando un padre no está

Los niños quedan al cuidado de un solo padre en diferentes circunstancias. Éstas pueden ser el abandono, la muerte o el divorcio. Pretendo analizarlas para ayudar a la madre o al padre que se enfrenta a la responsabilidad de criar.

El abandono ocurre de diferentes maneras. Una de éstas se da cuando, ante un embarazo no deseado, el padre decide no asumir la responsabilidad paterna y llega a negarse a reconocer al hijo o la hija como propio. La mujer se enfrenta, entonces, al hecho de ser madre soltera, con todos los prejuicios sociales que eso conlleva.

Si ése es el caso y optas por criar al niño o la niña tú sola, no lo hagas sentir una carga y responsable de tu desgracia. Por el contrario, crea entre tú y el niño o la niña un lazo tan especial que no llegue a sentirse rechazado.

Los niños abandonados, cuando conocen este hecho, sienten que valen muy poco. Es ese sentido de minusvalía el que debes prevenir, para evitar que opten por comportarse de modo negativo hacia sí mismos y hacia los demás.

Los niños abandonados sienten la necesidad de conocer la razón del abandono. Necesitan comprobar que no son responsables de este hecho.

Ubica la responsabilidad en el padre ausente. Si conoces las razones que motivaron el abandono, tan pronto te las pida el niño háblale con honestidad, pero evita herirlo. El abandono está clasificado como una manifestación de maltrato y es penalizado por ley. Sin embargo, esto no impide que ocurra frecuentemente.

Otra forma común de abandono de un niño es aquella que ocurre cuando los padres, después de la separación o el divorcio, no pagan pensión alimentaria. Este abandono económico atenta contra la estabilidad de la familia.

Algunos niños se resignan a vivir con poco. No piden, aunque tengan necesidad, para no afectar al padre o la madre custodio. Se convierten en adultos antes de tiempo y se llenan de rencor con el padre o la madre que les niega el sustento. Otros pueden recurrir a apropiarse de lo ajeno si no han aprendido a posponer sus necesidades.

A veces, el padre o la madre custodio piensa que posee la capacidad emocional y económica para sacar adelante a su familia. Como resultado, decide no reclamar los derechos de pensión que tienen sus hijos. De esta forma, le quita la responsabilidad al padre no custodio de su sustento. Esto lo hace en muchas ocasiones motivada por la ira. Pero con esta acción incurre en maltrato económico de sus hijos.

El padre o la madre custodio de estos niños tiene que compensar con atención y tiempo lo que ellos dejan de recibir materialmente. Te recomiendo las siguientes estrategias:

- Comparte actividades con ellos.
- Enséñales a valorizar lo que tienen.
- Permíteles que participen en la toma de decisiones.
- Mantén el optimismo.
- No prometas lo que no puedes cumplir.
- Sé constante y confiable.

Debes evitar que tu hijo o hija se sienta inferior debido al hecho de ser abandonado. Recuerda que los sentimientos de pérdida acompañan todas las separaciones, aun aquellas que son inevitables.

Los niños que, como resultado del divorcio, pierden la presencia de uno de sus padres se afectan. El divorcio, generalmente, es la culminación de un largo período de discusiones y desavenencias. Cuando los padres sostienen la controversia que motivó el divorcio, los niños se afectan aún más.

Una de las consecuencias inmediatas del divorcio es que los niños quedan, generalmente, bajo la custodia de un solo padre. Se establecen, entonces, relaciones filiales para que los niños y el padre o la madre ausente puedan compartir sin que se afecte la rutina diaria de éstos. Así, el niño continúa asistiendo a la misma escuela, comparte con los mismos amigos y se mantiene en la comunidad que lo ha visto crecer.

Muchas veces, los días de visita del padre no custodio se convierten en encuentros de pelea. Esto ocurre en parejas que no han podido poner a un lado sus diferencias personales y utilizan cualquier situación para iniciar una controversia. Con esta actitud, sólo logras afectar negativamente a tus hijos. Ellos desean compartir con ambos.

Aun los niños que han sido maltratados por el padre o la madre ausente desean conservar la relación. Lo que no desean es el abuso. En estos casos, una persona imparcial y protectora debe supervisar la relación paterno o materno-filial.

Coopera con el derecho que tienen tus hijos a relacionarse con ambos padres. Te sugiero las siguientes alternativas para evitar que los días de visitas se conviertan en escenario de batallas.

Normas sugeridas para las relaciones filiales

- Incentiva a tus hijos a desear con entusiasmo relacionarse con el padre o la madre ausente.
- Cuando el padre o la madre ausente busque a los niños, no te pongas a discutir por dinero.
- Sé considerado, preparando los niños a tiempo para irse con el padre o la madre no custodio.
- No recojas a los niños antes de tiempo, ni los devuelvas tarde. Afectas su rutina y los planes de tu expareja.

- Sé responsable. No obligues a tu niño o niña, si está enfermo, a ir de visita.
- No inventes enfermedades para evitar las relaciones paterno o materno-filiales.
- No uses tu derecho de visita para interrogar al niño o la niña sobre la conducta de tu expareja. Eso no te concierne a menos que esté incurriendo en maltrato de menores. No inventes que el niño está siendo maltratado para evitar las relaciones con tu expareja o incluso quitarle la custodia.
- No uses a tu hijo o hija para pedir dinero.
- No te opongas a que tu expareja participe en las actividades educativas y sociales de los hijos.
- No les prohíbas a tus hijos, especialmente si son infantes, que se comuniquen por teléfono con el padre o la madre ausente.
- No llames por teléfono constantemente a tus hijos cuando comparten con el padre o la madre no custodio.
- Accede a un cambio de día de visita por causas razonables. Llegará el día en que tú tengas que pedir lo mismo a tu expareja.
- El padre o la madre no custodio debe crear en su hogar un espacio con juguetes y objetos personales del niño, para que éste se sienta también parte de ese hogar.
- Enséñales a tus hijos que tienen un padre y una madre que los aman.
- Comparte con tus hijos cuando te visitan. No los dejes al cuidado de otros. Es tu tiempo con ellos: utilízalo con plenitud.

Los hijos de la pareja que se divorcia, en muchas ocasiones, establecen comparaciones entre ambos padres. Con el padre o la madre que tiene la custodia, tienden a ser más críticos. Esto se debe a que la disciplina, la rutina escolar y las responsabilidades diarias le corresponden al custodio.

Por otro lado, el padre no custodio comparte fines de semana con ellos, que usualmente los dedica al aspecto social. Te sugiero, en ese caso, que apoyes a la madre o al padre custodio, ya que asume la responsabilidad más difícil en beneficio de los hijos de ambos.

Los niños que, como consecuencia del divorcio, pierden contacto con el padre, porque no lo procura y no se ocupa de ellos, tienden a responsabilizar a la madre, y la culpan por la ausencia del padre. Estos niños son injustos y a veces crueles.

Reconoce que tus hijos tienen ira ante lo que no pueden cambiar. Esto les ocurre usualmente a los niños de edad intermedia.

Ellos viven con la esperanza de que sus padres vuelvan a unirse. Se sienten preocupados sobre el futuro y son leales a ambos. Muchas veces se culpan a sí mismos porque *"papi y mami ya no están juntos".* Se cuestionan qué fue lo que hicieron mal, que llevó a sus padres a divorciarse. Surge el sentido de pérdida y el dolor de que el padre o la madre se fue porque ya no los quería.

Los adolescentes, por el contrario, suelen aliarse con uno de ellos. Esto responde a veces a la pena, a la ira o a su propia conveniencia. A pesar de esto, los adolescentes se ajustan mejor a la ausencia de uno de sus padres. Esto es así porque tienen mayor capacidad de adaptación y pueden entender las razones que dieron paso al divorcio.

Los padres tienden a ofrecer detalles de los problemas maritales a los hijos mayores, pues en muchas ocasiones han sido testigos de los factores que llevaron a la separación.

¿Qué puedes hacer para aminorar el impacto del divorcio en tus hijos? Te invito a tomar en cuenta las siguientes consideraciones:

- No mientas sobre el divorcio.
- Evita discutir con tu expareja en presencia de los niños.

- Permite que tu hijo se relacione libremente con el padre o la madre ausente a menos que represente peligro real.
- Permite que tu hijo se exprese libremente sobre tu expareja en la casa.
- No lo(a) critiques frente a los hijos y tampoco lo(a) enaltezcas.
- No les cuentes secretos negativos de ustedes como pareja.
- No uses al niño para atraerlo(a).
- No uses al niño o la niña como mensajero.
- No uses al niño o la niña como juez: ¿quién tiene la razón?
- No transfieras a tus hijos tu ira. Ellos no se divorcian.

La edad de los niños es el factor más poderoso en el ajuste de éstos al divorcio de sus padres. Mientras mayor es el niño o la niña, los efectos son menos impactantes y más controlables. Los niños aceptan mentalmente que sus padres se han divorciado, antes de aceptarlo emocionalmente. Muchos niños reaccionan con pena, como si se hubiera muerto el padre ausente. Otros, con miedo al futuro; y otros fantasean con la reconciliación.

Evita que los niños se envuelvan en el dilema marital. Ellos no se están divorciando; lo que sí se da es una separación parcial cuando se pierde la presencia diaria de uno de los padres. Para ajustarse a ese cambio, ambos padres tienen que posponer sus diferencias y apoyar a los hijos.

La carta que te presento a continuación es un ejemplo del efecto que tuvo en un niño no sólo el divorcio de sus padres, sino el abandono de uno de ellos.

Carolina, P. R., marzo de 2000.
"Tengo una niña de nueve años a la cual su padre, después del divorcio, nunca se ha preocupado por buscarla, y ella está en una edad que me lo está cuestionando. El padre de la niña está molesto porque le exijo que responda económicamente, ya que como padre no lo hace sentimentalmente."

Desorientada

Lo que expresa en su carta esta madre preocupada sucede en muchos hogares. La madre es la custodia de los hijos y la responsable por su cuidado y bienestar. El padre contribuye poco o nada al sustento de los hijos porque, generalmente, piensa que el dinero de la pensión lo utiliza ella para darse buena vida.

La realidad es otra; la madre, cuando cría, lo hace con pocos recursos económicos, sociales y familiares. La familia materna y la sociedad en general tienden a pensar que el ser mujer la capacita a criar sin necesidad de algún tipo de apoyo. Para la mujer, esto se ve como un acto natural. No sucede así cuando el que cría es el padre, quien usualmente recibe apoyo y admiración de familiares y comunidad. Como él se sale de la norma, es considerado una persona especial.

Como resultado de esta realidad social, vemos cómo la conducta antisocial que muestran los hijos se le adjudica a la crianza materna. Sin embargo, la causa real radica en la falta de recursos y de apoyo para llevar a cabo la difícil tarea de ser madre soltera.

Ambos, padre y madre, cometen el error de utilizar el derecho a la pensión como arma para castigarse mutuamente. La madre no lo deja ver a sus hijos si se atrasa en el pago. Él solicita una custodia que no desea, o no puede asumir, para no pagar un alza en la pensión o para castigarla a ella.

En muchos hogares, el divorcio es una alternativa necesaria. Las familias en las cuales la sana convivencia no puede darse se ven obligadas a la separación de sus miembros.

El divorcio puede tener consecuencias positivas en el niño:

- Deja de preocuparse por sus padres.
- Asume más responsabilidad.
- Acelera el proceso de madurez.
- Crea sentido de independencia.
- Aumenta el desarrollo de destrezas.
- Aprende a aceptar lo que no puede cambiar.
- Valora el tiempo que comparte con cada uno de sus padres.

Un evento natural que afecta a muchos es la muerte. Los padres, por regla general, evitan hablar con sus hijos sobre este tema, pues es un tópico que llena de ansiedad. De esta forma, privamos a los hijos de entender y aceptar la muerte como inevitable y como parte del proceso de vida.

A pesar de que el tema de la muerte está constantemente en los medios de comunicación, los niños menores no la reconocen como un evento final. Piensan que el padre o la madre fallecido va a regresar y, al ver que esto no sucede, preguntan por ellos.

La mayoría de los niños a los diez años reconocen que la muerte es irreversible, inevitable y universal. Sin embargo, todavía piensan que sólo le ocurre a la gente anciana, por lo cual el morir no es una preocupación para ellos.

Pero a los niños se les dificulta canalizar sus emociones, por lo que, ante la ausencia de un ser querido, se afectan de varias maneras.

Este tema trae a mi recuerdo el fallecimiento de mi primer hijo. Al hablar sobre esto años después, mi hija menor, entonces de tres años, me preguntó: *"Mami, ¿por qué murió mi hermanito?"* Le contesté: *"Papá Dios necesitaba un ángel en el cielo."* A los pocos días, mi hija me volvió a preguntar: *"Oye, mami, ¿tú crees que Papá Dios necesita otro ángel?"* Me di cuenta de mi error y de la preocupación que había ocasionado en ella, y le respondí: *"No, en esta familia ya nosotros contribuimos."* Fin del tema. ¡Cuidado de cómo tratas un tema que genera mucho temor!

Muchos padres no saben si deben permitirle al niño o la niña participar de los servicios fúnebres. Cuando se les explica a los niños en qué consisten y se les da la oportunidad de decidir si quieren participar o no, muchos optan por asistir al funeral. La muerte de uno de los padres muchas veces trae unión en la familia, si el niño se siente protegido. Esto no es así cuando la ausencia de un padre se da por divorcio.

Ante la pérdida de uno de los padres por fallecimiento, podrás observar algunas de las siguientes reacciones psicológicas:

- Miedo a dormir solo.
- Miedo a que el padre o la madre vivo también fallezca.
- Ira con el padre o la madre fallecida, por abandonarlo.
- Ira con él mismo, por no poder evitar lo ocurrido.
- Miedo a morir.

Para ayudar a tus hijos a entender mejor y a aceptar la muerte de su padre o madre:

- Háblale con claridad sobre lo ocurrido. Si lo desea, permítele participar del entierro.
- Estimula la expresión de sus sentimientos.
- Respeta sus emociones.
- Está atento a sentimientos de culpa.

- Trata de distraerlo con actividades que le gusten.
- No esperes que se comporte como adulto.

Observa a tus hijos. Tú los conoces. Busca ayuda profesional si el niño o la niña no tiene consuelo, si se afecta al dormir, si rechaza alimentos que le gustan, si no le interesa jugar o participar en actividades sociales de su agrado, si baja las notas significativamente.

Te invito a que ayudes al niño a recordar con afecto al padre o la madre ausente, reforzando los momentos felices que compartieron.

Recetario ante la ausencia de uno de los padres

Ingredientes negativos	*Ingredientes positivos*
Hablar mal del padre ausente	Prestarle atención
Hacerlo sentir como una carga	Ser consistente
Ocultarle lo que ocurre	Decirle la verdad
Hacerlo sentir culpable	Darle seguridad
Mentirle	Compartir más con él o ella
Tratarlo como adulto	Permitirle expresarse sobre el padre ausente

Procedimiento

En un recipiente grande, mezcla lo malo que se dice del padre ausente, los secretos, el hacerlo sentir como una carga, los sentimientos de culpabilidad, las mentiras y las exigencias desmedidas. Ponlo en el horno a fuego lento hasta que se quemen.

En un molde de bizcocho, echa atención, consistencia, verdad, seguridad. Añádele azúcar, prepara unos merengues deliciosos y compártelos con la familia que aún queda.

Capítulo 8

La llegada del nieto no esperado

Ya adolescencia se caracteriza por cambios físicos acelerados. Es una época de temores, ansiedades y emociones. Los niños y las niñas se convierten en hombres y mujeres en un abrir y cerrar de ojos. Los adolescentes necesitan que los ayudemos a aceptarse tal y como son, ya que suelen compararse con compañeros que han logrado más o menos su mismo desarrollo.

Los padres de los adolescentes, a pesar de percatarse de los cambios físicos en sus hijos, temen hablar sobre el desarrollo y la conducta sexual. Sin embargo, en esta etapa, muchas de las preocupaciones de los jóvenes son sobre temas sexuales.

Si no les planteas a tus hijos el tema de la sexualidad, lo harán sus amigos. Esto es común en esta sociedad, en la cual existe aceptación general de la expresión sexual. No hay mejor ejemplo que pueda brindarte que el hecho de que los programas de televisión con mayor audiencia son aquellos que explotan la sexualidad. A través de estos programas televisivos, los jóvenes aprenden que su cuerpo constituye el mejor o único medio para conseguir lo que se quiere. Valorizan lo físico mucho más que el desarrollo del conocimiento.

En la actualidad, nuestros jóvenes se sienten presionados a iniciar experiencias sexuales sin que medie un compromiso de pareja. Hay un número alto de adolescentes iniciándose en éstas. ¿Cómo puedes ayudar a tus hijos adolescentes a posponer la actividad sexual? Me permito presentarte las siguientes sugerencias:

- Desde pequeño, enséñale a amarse a sí mismo. Un joven que se ama a sí mismo quiere lo mejor para sí. Esto le permitirá mayor control cuando sus amigos quieran que haga algo que no desea y no le conviene.

- Incúlcale metas desde pequeño. Una joven no se desvía de sus metas y aspiraciones si las tiene bien claras. Un embarazo no esperado será un obstáculo para alcanzar lo que se desea.

- Refuerza su carácter enseñándole que puede ser diferente de los demás sin ser menos. De esta forma, se atreverá a decir que no, sin sentirse culpable. Los adolescentes, en su mayoría, saben que muchas de las cosas que hacen no les convienen, pero no han desarrollado la madurez para rechazarlas.

- Comparte tus ideas con ellos. Muchos adolescentes se privarán de actuar negligentemente porque saben lo que sus padres aceptan y rechazan. Los padres que se comunican con sus hijos tienen su respeto y consideración a las normas establecidas en el hogar.

No te recomiendo que seas excesivamente estricto con el adolescente. No les impongas reglas a tus hijos que sabes que no podrán cumplir. Si lo haces, los alejas de ti y les das libertad para que actúen con rebeldía.

Sé realista; muchos padres les ponen limitaciones a los hijos por temor a que sean como ellos fueron. Los errores que cometiste no tienen por qué cometerlos tus hijos.

Supervisa la relación de tus hijos con el sexo opuesto y crea un ambiente positivo. Apoya sus salidas en grupo. Esto limita la posibilidad de que la pareja se encuentre sola y dé paso a una intimidad que por falta de madurez no puedan controlar.

Establece normas para las salidas. Controla el tiempo que tus hijos saldrán de noche. Conoce los lugares que frecuentan, las actividades en las cuales participan y con quiénes comparten. No permitas visitas del sexo opuesto en tu hogar cuando tú no estás.

No apoyes amistades que son significativamente mayores; pueden influenciar el ánimo de tu hijo o hija. Los intereses de los jóvenes varían de acuerdo con la edad. Amistades considerablemente mayores los pueden motivar a actuar antes de que estén preparados para asumir responsabilidad por sus actos.

Enseña a tus hijos la diferencia entre amor y sexo. Enfatiza la importancia que existe en la combinación de éstos. Los adolescentes deben aprender a asumir responsabilidad por sus actos y que la práctica sexual los expone a embarazos no deseados.

El amor se aprende, se cultiva, requiere atención constante, se intensifica con las atenciones, requiere compromiso y tiende a durar un tiempo prolongado. El sexo es instintivo, no requiere tiempo para formalizarse, responde a estímulo, produce sensaciones agradables pero pasajeras, es un acto de deseo, no requiere compromiso y no promete una relación permanente.

Enseña a tus hijos la importancia de valorizarse y de no dejarse utilizar como objeto de placer. La educación sexual es vital para que un joven decida si actúa o no sexualmente. Educar a tus hijos sobre materia sexual no es fácil porque la mayoría de los padres no tuvieron padres que los educaran a ellos.

Si se hablaba de sexo en la familia, era casi siempre de modo amenazante. Frases como *"si quedas embarazada, olvídate de nosotros"* se escuchaban con regularidad. Los padres tienen que educarse ellos primero, para luego educar a sus hijos sobre materia sexual.

Hoy día, la amenaza del síndrome de inmunodeficiencia adquirida (sida) hace más necesario que los jóvenes se eduquen sobre sexo y enfermedades de transmisión sexual. Para que puedas comunicarte efectivamente con tus hijos adolescentes sobre conducta sexual, tienes que aceptar primero que en este tema ambos pueden tener valores y opiniones diferentes.

A los adolescentes, más que información sobre sexualidad, les interesa saber lo que tú piensas. Aunque no apruebes la intimidad sexual, déjales saber que, no importa lo que ella o él haga, seguirán siendo tus queridos hijos. Lo que te preocupa no es tu relación con ellos sino las consecuencias para su futuro.

Si no puedes hablar con tus hijos sobre sexualidad, no lo hagas. Busca a una persona cercana a la familia o a un profesional de la salud para hablar del tema. Existen buenos libros que puedes leer y facilitarles a tus hijos para que lean. Te sugiero el libro ¿Y por qué?, de mi autoría, que le permite al niño satisfacer su curiosidad de modo independiente.

La educación sexual es un proceso continuo. Lo que hablas con tu hijo de 12 años no es lo mismo que hablas con el de 16. Debes estar preparado para abordar el tema en diferentes momentos y con hijos que presentan diferentes inquietudes y actitudes.

Los temas que más reacción negativa provocan son el de la posibilidad de contraer una enfermedad de transmisión sexual y el uso de anticonceptivos. Estos temas generan temor en muchos padres y jóvenes, por lo que no los abordan.

Sin embargo, la realidad es que las enfermedades de transmisión sexual han tomado, en casi todos los países del mundo, proporciones de epidemia. Esto ocurre por el aumento en la actividad sexual, y especialmente a más temprana edad, por ignorancia y por el rechazo de aceptar lo vulnerables que estamos ante el contagio.

Hoy día, el sida es visto como la enfermedad más temible que enfrenta la humanidad. Muchos mitos sobre ella surgen por el temor generalizado que existe de contraerla. Te invito a compartir con tus hijos adolescentes la siguiente información sobre el sida:

- El virus se encuentra presente en los líquidos del cuerpo, como la sangre, el semen y las secreciones vaginales.
- Se transmite por medio de transfusiones de sangre y por medio de relaciones sexuales (anales, vaginales y orales).
- No se han diagnosticado casos de sida como resultado de besos, estornudos, tos, picadura de insectos.
- La persona puede ser portador(a) y no presentar ningún síntoma.
- Los condones con contenido de nonoxynol-9 reducen el riesgo de contraer el virus, pero no son infalibles.
- La abstinencia sexual ofrece la única protección segura contra el sida.

Un adolescente bien informado tiene opciones. Si se ama a sí mismo, escogerá la opción que menos lo perjudique.

Otro tema relacionado con la sexualidad son los métodos anticonceptivos. Muchos padres no toleran la posibilidad de que sus hijos adolescentes tengan relaciones sexuales. Sin embargo, el embarazo de las adolescentes ha alcanzado cifras jamás vistas.

Las adolescentes no usan anticonceptivos por las siguientes razones:

- No creen que puedan quedar embarazadas.
- No les importa quedar embarazadas.
- Siguen patrones familiares de conducta sexual.
- El uso de anticonceptivos es un acto planificado, mientras que la relación sexual entre adolescentes ocurre usualmente de manera espontánea.

La información que les brindas a tus hijos sobre educación sexual es tu responsabilidad. Tú decides en tu hogar la calidad y la cantidad de información que transmites. No ignores el hecho de que tus hijos saben más de lo que tú crees.

El control de la natalidad es un tema tan cargado de emotividad, que evitamos a nivel familiar y social hablar de él. Mientras tanto, nuestros jóvenes no se benefician de la educación sexual responsable.

No hay riesgos en la educación. Si los educamos, los jóvenes son capaces de establecer la diferencia entre lo que pueden hacer y lo que deben hacer, entre lo que es deseable y lo que es correcto.

Las consecuencias del embarazo no deseado son muchas y negativas para los adolescentes y para sus padres. Me permito señalarte algunas de ellas para que las compartas con tus hijos:

- Embarazo de alto riesgo.
- Probabilidad de un niño prematuro.
- Deserción escolar.
- Desempleo.
- Pérdida de reputación.
- Rechazo de familiares y amigos.
- Abandono del hijo por el padre.
- Aumento de la probabilidad de maltrato de menores.
- Pobreza.

La carta que te presento a continuación es un ejemplo de las consecuencias que sufre la adolescente cuando queda embarazada.

Ciales, P. R., mayo de 1998.

"Quedé embarazada a los 14 años y tuve una niña. Hoy tengo 28 años y he criado a mi hija sola, sin ayuda ni apoyo de nadie. Quedé embarazada en plena adolescencia y no pude o no supe cómo evitarlo. Los primeros años, después de que nació la niña, fueron pésimos para mí, en sentido físico, pero sobre todo emocional. El padre ha seguido viviendo su vida feliz sin haber tenido que sobrevivir con los sentimientos de vergüenza, humillaciones y problemas emocionales como he tenido que vivir yo. En esta sociedad, te encuentras con personas muy dispuestas a ofenderte y faltarte el respeto sin ninguna consideración, aprovechándose de tu condición de madre soltera. Perdí mi vida, perdí la oportunidad de estudiar, de trabajar y de poder tener y vivir una vida normal. Quizás habría muchas otras cosas que yo podría contar por escrito, pero por ahora no puedo expresar nada más, porque muchas cosas simplemente se sienten, pero son imposibles de expresar."

Arrepentida

Una adolescente que se convierte en madre soltera es vulnerable al trastorno emocional. Se ajusta a su embarazo con sentimientos en conflicto. Es el momento en el que más apoyo necesita. La abandona el padre de la criatura por nacer y, en muchas ocasiones, sus propios padres.

La mayoría de los jóvenes varones, ante la responsabilidad de ser padres, optan por retirarse. Los que permanecen lo hacen más por el concepto del deber que por el compromiso. Ya la criatura por nacer está en desventaja, pues su nacimiento, en vez de traer felicidad y unión, trae discordia y distanciamiento.

Aunque la joven adolescente recibe la consecuencia mayor por estar embarazada, los varones también se afectan. Un joven que se siente comprometido con la joven que ha dejado embarazada tiene que tomar decisiones que no sólo lo afectan a él, sino también a su grupo familiar. Tiene que ordenar sus sentimientos para poder tomar decisiones responsables hacia la madre y el hijo por nacer.

Los padres de la joven embarazada tienen que manejar sentimientos de ira, decepción, traición, vergüenza, pena y temor. No es fácil, pero más difícil es abandonar a una hija que, muchas veces por ignorancia e impulsividad, no actúa como se espera de ella.

Los jóvenes inician relaciones sexuales por diferentes razones. Comparto contigo algunos de sus argumentos:

- Para demostrarle al novio que ella lo ama.
- Por ignorancia.
- Porque sólo en la relación sexual se sienten amados.
- Por imitación.
- Para sentirse mayor.
- Por curiosidad.
- Por placer.

Nuestros hijos no son perfectos; nosotros tampoco. Cuando creemos que nos fallan, en realidad se fallan más a sí mismos. Entonces te pregunto: ¿por qué respondemos con agresividad? Sólo logramos distanciarnos más de ellos.

La mitad de las adolescentes embarazadas quieren criar a su bebé. La falta de destrezas y de conocimiento las lleva a arrepentirse a mitad del camino de una decisión tomada con amor y compromiso. A ti, padre y madre de esta joven, te toca contribuir con tu apoyo y conocimiento para el bienestar de tu hija y del nieto por nacer. El no hacerlo no cambia las cosas, las empeora. Ofrécele tu respaldo y asistencia médica.

Con el pasar del tiempo, los padres y las madres adolescentes que reciben apoyo de sus propios padres aprenden a desempeñar sus nuevos roles con disposición y compromiso. Los problemas enseñan a los jóvenes acerca de las realidades de la vida. Aprenden a manejar responsabilidades y comprenden que todo esto tiene consecuencias.

No tenemos que estar de acuerdo con las acciones de nuestros hijos. Respondemos con ira porque vemos tronchadas nuestras aspiraciones y esperanzas sobre el futuro de nuestros hijos. Éste es el momento de volvernos más realistas. Es el momento de dejar de pensar en *"¿por qué me pasó a mí?"* para pensar en *"¿qué voy a hacer con lo que pasó?"*.

Si no lo hacemos, la presión que esto genera sólo sirve para distanciarnos de nuestros hijos y del nieto por nacer. No hay nada que fortalezca más la relación con nuestros hijos que apoyarlos cuando ellos saben que han fallado. El vínculo afectivo que se crea será de beneficio para todos y, más aún, para el nieto por nacer.

Receta ante el nieto no esperado

Ingredientes negativos	Ingredientes positivos
Echarlo del hogar	Aceptarlo
Insultarlo	Apoyarlo
Avergonzarse	Humanizarse
Rechazarlo	Buscar atención médica
Agredirlo	

Procedimiento

Parte en trozos pequeños los ingredientes negativos, como insultos, rechazos, agresiones y actitudes explosivas. Ponlos en el pilón y machácalos hasta que se trituren. Échalos al basurero.

Coge los ingredientes positivos de educación, aceptación, apoyo, humanidad y atención médica; mézclalos con buenas intenciones y congélalos para que duren. Esta receta sirve para amar al nieto cuando nazca, con el apoyo de sus padres y la bendición de sus abuelos. Debe rendir hasta que sea un adulto.

Capítulo 9

Problemas que presentan tus hijos

Un hijo o una hija adicta es la pesadilla de todo padre que desea lo mejor para sus hijos. Cuando un joven usa drogas o alcohol, usualmente ha presentado varios problemas de los que los padres u otras personas a su alrededor no se han percatado. Problemas de relaciones, académicos, de abandono y de aceptación son algunas de las situaciones a las cuales se enfrentan.

Muchos jóvenes que se inician en el uso de drogas y alcohol lo hacen para combatir sentimientos depresivos como soledad, tristeza generalizada, falta de ánimo y pobre aceptación de sí mismo.

Los niños comienzan a experimentar con drogas ya a los 9 años. Sin embargo, la pobre comunicación familiar, unida a la falta de supervisión, impide que los padres se percaten del problema a tiempo.

La clave para prevenir el uso de drogas es la buena comunicación. Si los padres no se comunican con los hijos a temprana edad, no sirven de buenos modelos y no crean alta autoestima en el niño, el que distribuye la droga en la comunidad lo hará. Esa persona, conocida de tus hijos, sabe cuáles son sus necesidades, les ofrece la "llave a la felicidad" y sabe muy bien cómo llegar a ellos emocionalmente.

Los seres humanos actuamos para satisfacer nuestras necesidades. Un joven que usa drogas o alcohol busca llenar una necesidad que en el ambiente familiar y social donde vive no ha logrado satisfacer. No se considera feliz.

Para diferenciar el tipo de dinámica que se da en el uso de drogas y de alcohol, voy a presentar ambas adicciones por separado. Tu hijo o hija puede estar utilizando ambas o sólo una de ellas.

El consumo de alcohol por parte de nuestros hijos no nos preocupa tanto. Esto se debe a que es socialmente aceptado, no es ilegal, es de uso común, y muchos padres hacen uso excesivo de él. El alcohol es una droga cuyo uso tiene diferentes efectos en el que lo consume.

Como sociedad, no reconocemos el daño que causa. Se crean leyes para penalizar la venta de alcohol a menores y no las aplicamos. De esta forma, el alcohol se convierte en la droga más barata y accesible para nuestros hijos.

Si consumes alcohol irresponsablemente, recuerda que tus hijos te observan. Los hijos de los padres alcohólicos tienen cuatro veces mayor probabilidad de convertirse en alcohólicos. Los padres alcohólicos crean vergüenza, inseguridad y preocupación en sus hijos. Amenazan la estabilidad familiar. Son modelos pobres de imitar.

¿Cómo puedes prevenir que tu hijo o hija desarrolle problemas con el consumo del alcohol? Te recomiento las siguientes medidas preventivas:

- Da buen ejemplo.
- Establece reglas de conducta en tu hogar.
- Habla con tus hijos sobre el alcohol y sus consecuencias.
- Ayuda a tu hijo a confiar en sí mismo.
- Enséñale a resistir presiones de amigos.
- Fomenta actitudes positivas.
- No tengas alcohol accesible en el hogar.
- Supervisa.

Algunos padres se percatan de que sus hijos están haciendo uso del alcohol con regularidad, y no se atreven o no saben cómo plantear el problema. Temen que sus hijos los confronten con el hecho de que ellos son bebedores también. Los indicadores comunes de que un joven usa alcohol son:

- Su ropa y su aliento huelen a alcohol.
- Botellas vacías de alcohol en la casa y el automóvil.
- Llega ebrio de madrugada.
- Pérdida de apetito.
- Luce desaliñado.
- No cumple con sus responsabilidades.
- Cambios frecuentes de conductas.

Cuando los padres confrontan a sus hijos con el uso de alcohol, la respuesta que obtienen es negar la situación. Acusan al padre o la madre de que no confían en ellos y de tratarlos como bebés. Llegas a dudar de tus percepciones y de tu sentido de justicia.

Como prefieres no aceptar los hechos, optas por creer lo que tus hijos te dicen y pospones el manejo del problema. Si decides discutir el tema, te recomiendo que les crees conciencia de los riesgos que conlleva la conducta que observas.

Es importante que seas directo cuando hables con tus hijos sobre la importancia de evitar el consumo de alcohol. Para esto, te sugiero que les expliques las posibles consecuencias que pueden ocurrir. Te presento algunas de ellas para que las compartas:

- Retarda la reacción mental y física.
- Es causa de accidentes fatales.
- Produce enfermedades del hígado.
- Crea problemas digestivos.
- Causa depresión.
- Causa rechazo.
- Limita la capacidad para decidir entre lo que está bien o mal.
- Bajo aprovechamiento académico.
- Pérdida de reputación.

Algunos jóvenes resienten los consejos de los padres. Se perciben a sí mismos mayores de lo que son. Si tu hijo es uno de ellos, busca a un amigo o un familiar a quien él acepte para que sea el mensajero. Lo importante es que el mensaje le llegue responsablemente.

La carta que te presento a continuación es un ejemplo de la situación que se da en muchos de nuestros hogares.

Naranjito, P. R., octubre de 2000.

"Soy madre de tres jóvenes entre las edades de 14 y 17 años. Los he criado prácticamente sola pues su padre cuando no está trabajando está en el hogar borracho. Los hijos no lo respetan y a mí me toca ser la que se ocupa de todo. Mi hijo de 17 años está llegando a casa bebido prácticamente todos los fines de semana. Llega de madrugada tumbando todo lo que encuentra por el camino pues ni ve por dónde va. Lo oculto y no digo nada hasta el otro día. Él me dice que soy una exagerada y no me hace caso. Temo por su vida pues los amigos con quienes anda son iguales que él y pueden tener un accidente de automóvil un día de éstos. Su hermano menor pelea mucho con él pues odia la bebida. El padre no dice nada pues él sabe que el hijo ya no lo respeta por borracho. Temo que esté fracasando en la escuela pues hace meses que no lo veo tocar un libro. Su cuerpo tiene olor a alcohol. Se ve desaliñado y ha perdido mucho peso porque cuando bebe no come. Ya los amigos de siempre no vienen por aquí y de su novia no he vuelto a saber. Cuando le pregunto por ella, cambia la conversación. No sé qué hacer pues sé que mi hijo está perdiendo su vida y juventud a causa del alcohol."

Madre apenada

En esta situación nos encontramos con una madre que ya no puede comunicarse con su hijo adolescente. En la familia no hay un adulto en control, y el hijo menor trata de buscar solución al problema, pero, a su vez, es rechazado por su hermano.

Es necesario buscar ayuda fuera de la familia, ya sea con un familiar aceptado por todos o un profesional de la conducta que pueda ser visto como persona objetiva en la situación.

Recuerda que el uso excesivo del alcohol es un síntoma, no el problema. Es necesario conocer lo que ha motivado tal conducta indeseable.

Los jóvenes consumen alcohol con regularidad porque tienen la motivación y la oportunidad. La sociedad en que vivimos apoya y glorifica el consumo de alcohol. Los anuncios sobre alcohol son atractivos y presentan imágenes de gente joven, alegre y exitosa.

La realidad es que el consumo del alcohol interfiere en la tarea que debe realizar un adolescente en su etapa de vida. Afecta negativamente el éxito académico. Refleja una autoestima pobre. Muchos adolescentes se creen indestructibles y se arriesgan a conducir vehículos bajo los efectos del alcohol. El que consume alcohol no sólo amenaza su vida, sino también la de los demás.

El uso excesivo de alcohol en los adolescentes se asocia con conducta antisocial, como uso de drogas, delincuencia, promiscuidad y suicidio. Si es difícil la situación de los padres cuando los hijos se convierten en bebedores habituales, más difícil es la de los padres cuyos hijos son adictos a las drogas.

Los padres deben estar alertas a los indicadores asociados al consumo de drogas. La detección temprana del problema es vital para ayudar a tu hijo a dejar la droga. Algunas de las señales que puedes observar son:

• Cambio significativo de amistades.
• Baja las notas.

- Pierde interés en hacer cosas que antes deseaba hacer.
- Pasa más tiempo en la calle.
- Olor raro en el cuarto y en su ropa.
- Llamadas telefónicas de personas que no se identifican.
- Falta de energía o mucha vitalidad poco usual.
- Ojos rojizos.
- Alergia nasal más frecuente de lo usual.
- Falta de interés en compartir actividades familiares.
- Te falta dinero.
- Miente con regularidad.
- Responde con hostilidad.

La droga más común entre los jóvenes es la marihuana. A muchos padres no les preocupa el uso de la marihuana porque estuvo de moda en su propia generación y no le conceden importancia.

Sin embargo, estos padres que así actúan son irresponsables e ignorantes y no saben que la marihuana que se consume hoy día tiene otros componentes que la hacen sumamente adictiva. Además, muchos jóvenes combinan su uso con otras drogas adictivas.

Recuerda que ninguna droga es inofensiva. Sobre todo, para adquirirla, tu hijo o hija se mueve en un mundo y una subcultura que amenazan su seguridad y su vida. Se arriesga, además, al arresto y el encarcelamiento.

Otra droga de uso reciente y de moda entre los jóvenes es el éxtasis. Es una droga estimulante. Puede producir alucinaciones. El éxtasis viene en pastillas, cápsulas o polvo, y se consume oralmente aunque también se puede inyectar. El éxtasis es un narcótico peligroso que puede afectar las neuronas.

Como padre o madre, asume tu responsabilidad. No te dejes manipular y no cedas ante la presión de tu hijo adicto. Busca ayuda profesional a tiempo.

El hecho de que tu hijo esté expuesto a drogas y alcohol te debe dar un claro mensaje. Es un joven con pobre autoestima que opta por actuar en contra de sí mismo. Es un suicida potencial y escogió un método lento y destructivo.

Pregúntale a tu hijo o hija por qué actúa en contra de sí mismo. Qué lo motiva a causarse daño. Explora si ya perdió el deseo de vivir. Si contesta por la afirmativa, busca ayuda. Hazlo sentir valorado. Nunca ignores las señales de peligro.

Estas señales pueden ser varias de las que te presento a continuación:

- Habla mucho sobre la muerte.
- Se ha hecho daño físico.
- Está aislado, reservado, se ve deprimido.
- Regala sus cosas.
- Deja de importarle lo que antes le importaba.
- Expresa que nadie se preocupa por él.
- Pasa mucho tiempo encerrado en el cuarto.
- Pérdida reciente de algo o alguien importante en su vida.

Los jóvenes que atentan contra sí mismos son jóvenes confundidos y con necesidad de apoyo y afecto. No encuentran sentido de pertenencia en su hogar ni en el núcleo social en el que se desenvuelven. Los problemas que parecen rutina, para ellos son motivo de crisis. No toleran el dolor. No creen que el arco iris saldrá después de la tormenta.

El secreto para que tu hijo sobreviva a cualquier crisis de vida es mantener viva la esperanza de que todo en la vida pasa y que el mañana será mejor.

Una alta autoestima ayudará a tu hijo o hija a superar las crisis que les presenta la vida. Los ayudará a reponerse y a empezar de nuevo. A descontinuar la conducta autodestructiva y amarse a sí mismos.

El desarrollo de una autoestima sana en los hijos debe ser la meta de todo padre y madre responsable. Los padres tenemos que enseñar a nuestros hijos que los fracasos son parte de la vida y que aunque nos atrasen nos acercan a la meta. De los fracasos aprendemos a hacer las cosas mejor.

Nunca olvides que el primer ingrediente para el desarrollo de la autoestima de tus hijos es la opinión que tienes acerca de ellos. Tu opinión influencia sus sentimientos y su camino hasta la adultez.

Receta para prevenir y manejar uso de drogas y alcohol

Ingredientes negativos	*Ingredientes positivos*
Ignorarlo	Alertarlo sobre el uso de drogas y alcohol
No hablar del tema	Apoyar el cambio
Menospreciar el problema	Reconocer los síntomas del adicto
Negarle ayuda profesional	Preocuparse
Echarlo del hogar	Buscar ayuda

Procedimiento

En agua hirviendo, coge todas tus actitudes negativas hacia tu hijo, como ignorarlo, evitar el tema, menospreciar el problema, negarle ayuda profesional y echarlo de la casa, hasta que el calor las evapore.

En una cacerola con miel, mantequilla y limón, echa la educación sobre el problema, el reconocimiento de síntomas, la ayuda profesional, la preocupación y el apoyo al cambio. Pon en el horno hasta que se dore. Luego sirve sobre bizcocho de nueces. Compártelo con él o ella durante el proceso de recuperación.

Reflexión final

En el mundo complejo en el que vivimos, tenemos que reconocer que existe todo tipo de familia. Lo que garantiza el triunfo o el fracaso no es el número de miembros que la componen, no es el sexo de sus miembros, no es el origen, no es la condición, sino más bien los valores que la sostienen.

El triunfo o el fracaso familiar se da por muchos factores. En este libro he compartido algunas ideas que facilitan el triunfo y he mencionado algunas que auguran el fracaso. Hago hincapié en la enseñanza de principios éticos, con los que inculcas en el niño o la niña sentido de justicia.

Para lograr ese sentido tan vital para la sana convivencia social, debes ser tú mismo una persona justa. La forma más directa y sencilla de enseñar sentido de justicia a tus hijos es cuando disciplinas.

Una persona justa, antes de disciplinar, verifica hechos y no salta a conclusiones. No evade la responsabilidad de disciplinar. Disciplina usando la razón, dando explicaciones y consejos, y señala lo correcto y lo incorrecto.

Hemos perdido la habilidad para disciplinar. Vamos de un extremo a otro. Somos demasiado permisivos o muy restrictivos. Ambos estilos producen efectos diferentes. A los padres sumamente permisivos, a quienes podemos llamar negligentes, no les preocupa cómo sus hijos se comportan. Todo lo dan por bueno.

Estos niños no saben lo que es control. No siguen reglas ni respetan normas. Llegan a pensar que son los únicos con derechos. Se convierten en cuidadanos irresponsables y egoístas. Son rechazados usualmente por la pobre conducta que exhiben o son temidos por lo que se atreven a hacer.

Toda la sociedad es víctima de los padres negligentes, ya que sus hijos no respetan el derecho ajeno pues nadie les enseñó a respetar.

Los padres restrictivos, por su estilo de disciplina, crían hijos inseguros, con poco liderazgo y con mucha ira. Éstos no se pueden expresar ante el temor que sienten. La ira no procesada les impide ser felices, y se convierten en la infelicidad de otros. Viven a la defensiva. Son una bomba de tiempo que puede explotar a la menor provocación. Se convierten en adultos punitivos que, a pesar del rechazo que les tienen a sus propios padres, acaban siendo lo que no deseaban ser: igual a ellos.

No existe un método disciplinario único. La mejor alternativa es combinar la flexibilidad con el control y el afecto. Habrá momentos en los que un "no" sea lo más efectivo, y otros en los que la flexibilidad de un "está bien" sea lo más razonable. Eso lo decides tú, pero guiado por la razón y no sólo por la emoción. Cuando la ira es nuestra consejera, actuamos para herir y no para disciplinar. La razón disciplina y la ira castiga.

Los niños deben aprender desde pequeños el valor de la honestidad. Muchas veces cogen lo que no les pertenece, simplemente porque es algo que les gusta o les llama la atención. Esto se debe a que actúan guiados por la emoción más que por la razón. No están motivados por la maldad o el egoísmo.

Sin embargo, debes utilizar esa oportunidad para iniciar el desarrollo del valor de la honestidad. Debes enseñarles a devolver lo que no les pertenece, aunque lloren y se nieguen a hacerlo. Desde la infancia, deben aprender que no siempre pueden tener lo que desean y, además, a posponer la gratificación.

En la sociedad compleja en la que vivimos, es importante fomentar el concepto de colectividad en tus hijos. Deben aprender que todos tenemos los mismos derechos. La persona que de adulta cree que tiene más derechos que las demás fue criada con una percepción errónea de quién es y quiénes son los que la rodean.

Es este sentimiento de *"hago lo que quiero y no me importan los demás"* lo que crea víctimas y agresores. El individualismo da paso a la injusticia, al atropello y a la violencia.

Si desarrollas en tus hijos sentido de responsabilidad a temprana edad, puedes estar seguro de que en tu ausencia se comportarán como tú esperas de ellos. Se sentirán responsables hacia ti, hacia lo que les enseñaste y hacia ellos mismos. Desarrollarán conciencia social.

Cuando motivas a tus hijos a asistir a la escuela con regularidad, a realizar la tarea y a comportarse bien con compañeros y maestros, refuerzas el valor de la responsabilidad. Si, por el contrario, les aceptas que inventen excusas para faltar a la escuela y comportarse mal en el salón de clases, les habrás dado dos mensajes: pueden ser irresponsables y poco productivos.

Ser buen padre y buena madre es un trabajo permanente, sin derecho a ausentarse, y menos a renunciar. Para ser padres y madres responsables, hay que tener un serio compromiso con los hijos. Hay que dedicarles tiempo todos los días. Habla con ellos, conoce lo que piensan y exprésales tus ideas.

A veces escucho a mucha gente expresar, injustamente, que las madres que trabajan fuera del hogar, que son divorciadas, que son madres solteras, que son abandonadas por el padre de sus hijos, no pueden criar hijos responsables y productivos a la sociedad.

Este tipo de creencia da más importancia a la cantidad que a la calidad del tiempo que se dedica a la crianza de los hijos. Es una injusticia discriminar a las madres que quedan solas al cuidado de sus hijos, anticipándoles el fracaso.

Esto trae a mi recuerdo una experiencia que tuve hace varios años en el Tribunal de Relaciones de Familia en Mayagüez.

Acudí allí para representar como testigo pericial los intereses de dos niños abusados sexualmente por el padre. Este señor, al conocer el contenido de mi informe pericial, ya en poder del juez, optó por retirar su reclamo de relaciones paterno-filiales.

De esta manera, evitaba que yo testificara ante el juez los actos de abuso sexual cometidos contra sus hijos de cuatro y siete años. Ante la posición asumida por este padre, el juez reaccionó invitándolo a *"reconsiderar su posición, ya que los estudios de investigación revelan que los hijos criados por la madre se convierten en delincuentes".*

No puedo dar mejor ejemplo de lo que es una interpretación errónea y prejuiciada de lo que es ser un padre responsable. Para este juez, la crianza de la madre era más perjudicial para los hijos que la crianza de un padre agresor sexual.

Otra costumbre generalizada, que afecta negativamente a los niños, es conferirle custodia al padre que, como resultado de la violencia doméstica, asesina a la madre. Este padre violento no es modelo responsable para criar a su hijos. Crea sentimientos contradictorios en ellos, representa pobres controles, pobre desarrollo de valores, falta de sensibilidad y falta de humanidad.

Estos niños aprenden a conferirle poco valor a la vida. Aprenden a ser víctimas y agresores, con el apoyo de la sociedad de la que son parte.

Como sociedad, tenemos que poner los miedos a un lado, porque la perfección no existe. Lo que buscamos no es tener hijos perfectos sino hijos funcionales, afectivos y considerados. Pero si nosotros, como padres, no somos así, ellos tampoco lo serán. Somos sus primeros y más significativos modelos, aunque no somos los únicos modelos a imitar.

La estructura familiar se debilita cuando las estructuras establecidas para garantizar la paz y la sana convivencia social fallan. El que ejerce el poder en la familia actúa así libremente, seguro de que nadie puede inmiscuirse en asuntos familiares y, si lo hacen, sabe que no prevalecerán.

Cuando el patrón de comunicación es violento, la persona que asume el poder en el núcleo familiar recurre a la agresión para mantener el poder que se adjudicó. De esta forma, se da y se sostiene la violencia doméstica.

Debido a esto, nuestros niños son maltratados por sus padres porque, incapaces de defenderse, son confiados y vulnerables. Son maltratados en muchos casos en sustitución del adulto que quisieran maltratar y no se atreven. Son los chivos expiatorios.

Las víctimas del maltrato son niños pequeños. En ellos no puede radicar la fuente del problema, ni pueden ser responsables por su propio bienestar.

Cuando los padres fallan, todos los que somos testigos de la violencia somos responsables del bienestar del niño. La indiferencia nos hace cómplices del maltrato. Esta sociedad es indiferente al sufrimiento de nuestros niños.

Cuando sale a la luz pública un asesinato de un niño a manos de sus propios padres, justificamos el acto diciendo que el maltrato es producto de la locura. No podemos confundir la maldad, la falta de afecto y la falta de compasión con la falta de salud mental. Con esta forma de analizar el problema, justificamos a los agresores y revictimizamos a la víctima.

Los seres humanos somos responsables de nuestras acciones. De lo que hacemos y dejamos de hacer. Cuando no protegemos a nuestros niños, les fallamos. Los niños no son las personas del mañana, como usualmente se dice: los niños son personas hoy.

La confianza, el amor y el respeto que inculcamos en ellos los ayudarán a lograr una autoestima saludable. Los niños con sana autoestima son niños que confían en sus propias percepciones y son menos manipulables.

La opinión que tienen de sí mismos no surge de la fantasía, sino de un reconocimiento propio de sus habilidades y cualidades. Antes de que un niño o una niña llegue a tener este autoconocimiento, un adulto responsable por su cuidado le enseñó a creer en sí mismo.

Por el contrario, los niños con baja autoestima se sienten poco animados, con miedo a expresarse o a defenderse, y no adquieren destrezas para enfrentarse a las dificultades sin la ayuda de los demás.

Educa a tu hijo o hija, ocúpate de satisfacer sus necesidades, cree en él o ella, anímalos, ámalos; ésa es la receta ideal para que siempre actúen de acuerdo con los principios que les has enseñado.

Finalizo este libro con una reflexión anónima para ustedes, los padres y las madres que me han dado la oportunidad de entrar en sus vidas.

"Somos como un velero en el océano:
no podemos dirigir el viento,
pero podemos ajustar las velas..."

Bibliografía

Bauermeister, J. J. (2000): *Hiperactivo, impulsivo, distraído, ¿me conoces? Guía acerca del déficit de atención para padres, maestros y profesionales*, San Juan de Puerto Rico, Atención.

Berends, P. B. (1996): *Padres e hijos. Un camino hacia la plenitud*, Buenos Aires, Emecé.

Clemes, H. y Blan, R. (1997): *Cómo disciplinar a los niños sin sentirse culpables. Guía para padres y maestros*, México, Diana.

González, Doris (2005): *¿Y por qué? Preguntas que los niños y niñas hacen y sus posibles respuestas*, Puerto Rico, Imprenta-Imprenta.

Dargatz, J. (1995): *52 maneras de ayudar a tus hijos a vencer el miedo y sentirse seguros*, Tennessee, Caribe.

Dobson, J. (1996): *Criemos niños seguros de sí mismos. Cómo desarrollar la autoestima de tu hijo*, Tennessee, Caribe.

Kaufman, G. y Raphael, L. (1990): *Cómo hablar de autoestima a los niños*, México, Selector.

Kovacs, F. (1999): *Hijos mejores. Guía para una educación inteligente*, Barcelona, Martínez Roca.

Nelsen, J. y Lott, L. (1991): *Positive Discipline for Teenagers. Resolving Conflicts With Your Teenage Son or Daughter*, California, Prima Publishing.

Purves, L. (1993): *Cómo no educar un hijo perfecto*, Barcelona, Paidós.

Índice

Se terminó de imprimir en el mes de marzo de 2008
en el Establecimiento Gráfico **LIBRIS S. R. L.**
MENDOZA 1523 • (B1824FJI) LANÚS OESTE
BUENOS AIRES • REPÚBLICA ARGENTINA